D1384879

Jet

Biblioteca de

DANIELLE STEEL

PLAZA & JANES

Jet

DANIELLE STEEL

CINCO DÍAS EN PARÍS

Traducción de
Gemma Moral Bartolomé

PLAZA & JANES EDITORES, S. A.

Título original: *Five Days in Paris*
Diseño de la portada: Brenden Hitly-Andrew Newman
Fotografía de la portada: Suidler-Superstoch

Segunda edición en esta colección: febrero, 1998

Printed in Spain – Impreso en España

ISBN: 84-01-46245-2 (col. Jet)
ISBN: 84-01-46635-0 (vol. 245/5)
Depósito legal: B. 6.440 - 1998

Fotocomposición: gama, s. l.

Impreso en Litografía Rosés, S. A.
Progrés, 54-60. Gavà (Barcelona)

L 4 6 6 3 5 0

Nunca abandones la esperanza, y si puedes, reúne el valor para amar otra vez.

D. S.

Cinco minutos... cinco días...
y toda una vida cambió para siempre
en apenas unos instantes.

1

En París hacía más calor del habitual cuando el avión en que viajaba Peter Haskell aterrizó en el aeropuerto Charles de Gaulle. El avión rodó con soltura por la pista y poco después, maletín en mano, Peter se hallaba en el recinto del aeropuerto. Casi sonreía cuando se dirigió a la aduana, a pesar del calor y la longitud de la cola que tenía delante. Peter Haskell adoraba París.

Solía viajar a Europa cuatro o cinco veces al año. El imperio farmacéutico que dirigía tenía centros de investigación en Alemania, Suiza y Francia, y grandes fábricas y laboratorios en Inglaterra. Siempre era interesante visitar estos países, intercambiar ideas con los equipos de investigación y estudiar las nuevas vías de la mercadotecnia, que eran su punto fuerte. Esta vez, sin embargo, era algo más que un simple viaje de investigación o de presentación de un nuevo producto. Se hallaba en París para el nacimiento de su bebé: Vicotec. Vicotec era su eterno sueño, lo que iba a cambiar las vidas y las perspectivas de todos los enfermos de cáncer. Iba a cambiar radicalmente los programas de mantenimiento y la naturaleza misma de la quimioterapia en el mundo entero. Sería la gran contribución de Peter a la humanidad. En los últimos cuatro años no había vivido para otra cosa, aparte de su familia. Por otra parte, era innegable que haría ganar millones a Wilson-Donovan. Más que eso, los cálculos estimativos preveían unas ganancias durante los primeros cinco años de más de mil millones de dólares. En todo caso, no era eso lo más importante para Peter. Lo que contaba era la calidad de vida de quienes se iban consumiendo como llamas vacilantes en la oscura noche del cáncer. Vicotec iba a ayudarles. Al principio no había parecido más que un sueño idealista, pero se hallaban ya cerca de la victoria final, y Peter sentía escalofríos cada vez que pensaba en lo que estaba a punto de ocurrir.

Hasta entonces los resultados habían sido plenamente satisfactorios. Las reuniones en Alemania y Suiza se habían desarrollado sin contratiempos. Las pruebas efectuadas en los laboratorios de ambos países habían sido aún más rigurosas que las realizadas en Estados Unidos. Ahora estaban convencidos de que no corrían riesgos y de que podían actuar. Se había presentado una petición de licencia para la nueva droga a la FDA[1] varios meses atrás, en enero. Querían anunciar el descubrimiento de esta droga de vital importancia cuanto antes, lo que significaba que habrían de pasar por alto la fase de

1. *Food and Drug Administration*: Departamento administrativo responsable de la normativa sobre drogas y alimentos en EE.UU. *(N. de la T.)*

experimentación con animales. Era su intención proceder directamente con ensayos clínicos en pacientes humanos, motivo por el que era de gran trascendencia que las pruebas confirmaran su seguridad antes de la audiencia de la FDA prevista para septiembre. Peter estaba convencido de que las pruebas que ultimaba Paul-Louis Suchard, jefe del laboratorio de París, confirmarían la buena noticia que acababan de darle en Ginebra.

—¿Vacaciones o negocios, monsieur? —El agente de aduanas tenía un aire despreocupado cuando selló el pasaporte de Peter, y apenas alzó la mirada para comprobar su rostro con el de la fotografía. Peter tenía ojos azules y cabello castaño, y aparentaba menos de sus cuarenta y cuatro años. Sus facciones eran bien proporcionadas y tenía una buena estatura. La mayoría de la gente hubiera coincidido en considerarlo atractivo.

—Negocios —contestó con cierto orgullo. Vicotec. Victoria. La salvación para todos los seres humanos que luchaban contra la agonía de la quimioterapia y el cáncer.

El agente devolvió a Peter su pasaporte. Peter recogió su maletín y salió fuera en busca de un taxi. Era un espléndido día de junio. Peter había llegado a París un día antes de lo previsto, ya que no tenía nada más que hacer en Ginebra. Le encantaba aquella ciudad, donde le sería fácil hallar alguna distracción, aunque sólo fuera pasear junto al Sena. O tal vez Suchard aceptaría reunirse con él aunque fuese domingo. No había tenido tiempo de llamarle antes, pero aún era temprano y, a pesar de que Suchard era muy francés, muy serio y estricto,

Peter decidió llamarle desde el hotel para averiguar si estaba libre y dispuesto a adelantar su cita.

Peter había aprendido algo de francés a lo largo de los años, pero trataba siempre sus negocios con Suchard en inglés. Desde que abandonara el Medio Oeste, Peter Haskell había aprendido muchas cosas. Incluso para el agente de aduanas del Charles de Gaulle resultaba evidente que era un hombre importante, de inteligencia y refinamiento considerables. Era frío, cortés y firme, y poseía una absoluta seguridad en sí mismo. A la edad de cuarenta y cuatro años era el director de una de las compañías farmacéuticas más importantes del mundo. No era un científico sino un experto en mercadotecnia, al igual que Frank Donovan, el presidente. Casualmente se había casado con la hija de Frank dieciocho años atrás. No había sido el típico matrimonio por interés, ni lo había calculado. A los ojos de Peter se había tratado de un accidente, de un capricho del destino al que, además, se había opuesto durante seis años después de conocerla.

En aquel entonces Peter no quería casarse con Kate Donovan. Ni siquiera sabía quién era cuando se conocieron —él tenía veinte años y ella diecinueve— en la Universidad de Michigan. Al principio Kate era sólo una preciosa rubia que había conocido en una fiesta, pero después de dos citas acabó loco por ella. Salieron durante cinco meses antes de que alguien bromeara y le sugiriera que era un tipo listo por salir con la bonita Katie. Luego le había explicado el motivo. Kate era la única heredera de la fortuna Wilson-Donovan. Indignado, Peter había tenido una escena con Katie con todo el furor y la ingenuidad de un chaval de veinte años.

—¿Cómo has podido? ¿Por qué no me lo dijiste? —bramó.

—¿Decirte qué? ¿Por qué habría de explicarte quién es mi padre? No pensaba que eso te importara tanto. —Katie se sintió muy dolida por su ataque y Peter se ofuscó aún más.

Katie sabía lo orgulloso que era él y lo pobres que eran sus padres. Peter le había contado que aquel mismo año habían conseguido por fin comprar la vaquería en que su padre había trabajado toda su vida, que estaba enteramente hipotecada y que tenía el temor constante de que el negocio fracasara, porque tendría que abandonar los estudios y volver a Wisconsin para ayudarles.

—Sabías perfectamente que me importaría. ¿Qué se supone que debo hacer ahora?

Él sabía mejor que nadie que no podía competir en el mundo de Kate, que no era el suyo, no lo sería nunca, y que ella no podría vivir jamás en una granja de Wisconsin. Había visto demasiado mundo y era demasiado refinada, aunque no pareciera darse cuenta. El verdadero problema estribaba en que tampoco él se sentía a gusto en su propio mundo la mayor parte del tiempo. Por mucho que intentaba ser «uno de ellos» en su hogar, se le notaba diferente, tenía un aire de hombre de ciudad. De niño detestaba vivir en una vaquería y soñaba con marcharse a Chicago o Nueva York para convertirse en un importante hombre de negocios. Odiaba tener que ordeñar vacas, apilar balas de heno y estar sacando estiércol de los establos. Al terminar el colegio había pasado años ayudando a su padre en la vaquería que dirigía y de la que había acabado siendo propietario. Peter era consciente de lo que eso significaba. Cuando concluyera sus estudios en la universidad tendría que volver a casa para ayudar a sus padres. Temía ese momento, pero no deseaba escurrir el bulto. Era un hombre de principios que se creía obligado a cumplir con sus deberes y responsabilidades, y no pretendía eludirlos. Siempre había sido un buen chico, afirmaba su madre, aunque para ello tuviera que hacer lo más difícil. Estaba dispuesto a trabajar duramente para conseguir lo que quería.

Sin embargo, en cuanto Peter se enteró de quién era Kate, le pareció incorrecto salir con ella. Por sinceros que fueran sus sentimientos, le parecía lo más fácil, la manera más rápida para ascender sin tener que trabajárselo. Por hermosa que fuera, o por enamorado que creyera estar de ella, Peter sabía que no llegarían a ninguna parte. Tan inflexible se mostró Peter en su idea de no sacar partido de su relación, que rompieron a las dos semanas de haber conocido él la verdadera identidad de Kate, y nada de lo que ella le dijo le hizo cambiar de opinión. Para Kate fue terrible. Por su parte, Peter sintió perderla mucho más de lo que le confesó a ella. Todo esto ocurría en su tercer año de universidad. En junio volvió a Wisconsin para ayudar a su padre, y al acabar el verano decidió tomarse un año libre para dar un empujón al negocio familiar. El invierno había sido malo y Peter creía que podría levantarlo con nuevas orientaciones y métodos que había aprendido en la universidad.

Tal vez hubiera tenido éxito, pero lo reclutaron y lo enviaron a Vietnam. Pasó un año cerca de Da Nang, luego se reenganchó y le destinaron a Inteligencia en Saigón. Fueron tiempos de confusión. Tenía veinticuatro años cuando abandonó Vietnam y aún no había hallado ninguna de las respuestas que buscaba. No sabía qué hacer con el resto de su vida. No quería volver a trabajar en la vaquería de su padre, pero consideraba un deber hacerlo. Su madre había muerto mientras él combatía en Vietnam y Peter comprendía lo duro que había sido para su padre.

Le quedaba un año de carrera, pero no quería volver a la Universidad de Michigan porque, en cierto sentido, le parecía que ya era demasiado mayor. También se sentía confuso con respecto a la guerra de Vietnam. Había llegado a amar al país que había querido odiar, que tanto le había atormentado, y había lamentado tener que abandonarlo. En Vietnam había tenido unas cuantas aventuras sin importancia, en su mayoría con miembros femeninos del personal militar norteamericano, y también con una hermosísima joven vietnamita, pero allí todo era demasiado complejo y las relaciones se veían afectadas por el hecho de que nadie esperaba sobrevivir. No había vuelto a ver a Katie Donovan, aunque había recibido una felicitación de Navidad suya, enviada desde Wisconsin. Al principio, en Da Nang, había pensado mucho en ella, pero le pareció más sencillo no escribirle. ¿Qué podía decirle? «¿Siento que seas tan rica y yo tan pobre?» «¿Te deseo que seas feliz en Connecticut, porque yo voy a pasarme la vida sacando paladas de estiércol en una granja de vacas?»

Aun así, en cuanto volvió a casa todos comprendieron una vez más que él no encajaba en la vaquería, e incluso su padre le instó a buscarse un trabajo en Chicago. Lo halló fácilmente en una empresa de mercadotecnia, asistió a clases nocturnas y obtuvo el título. Acababa de incorporarse a un nuevo trabajo cuando fue a la fiesta de un viejo amigo de Michigan y se encontró con Katie. Había solicitado un traslado y también ella vivía en Chicago por aquel entonces, a punto de licenciarse en la Universidad Northwestern. El reencuentro supuso una auténtica conmoción para Peter. Kate estaba más hermosa que nunca. Habían pasado casi tres años desde que la viera por última vez y le asombró darse cuenta de que, a pesar de aquellos años transcurridos en los que se había mantenido alejado de ella deliberadamente, su visión seguía causándole escalofríos en todo el cuerpo.

—¿Qué estás haciendo aquí? —preguntó Peter con nerviosismo, como si ella sólo pudiera existir en sus recuerdos. Le había obsesionado en los meses siguientes a su partida, al abandonar la universidad, y sobre todo cuando lo reclutaron por primera vez, pero hacía tiempo que la había relegado al pasado y esperaba que continuara allí. Pero su encuentro la había catapultado al presente.

—Estoy acabando la carrera —respondió Kate, conteniendo la respiración al mirarlo. Le pareció más alto y delgado; sus ojos eran más azules y su pelo más negro de lo que ella recordaba. Todo en él parecía más vívido y excitante que aquel recuerdo constante que nunca la había abandonado. No, no lo había olvidado. Peter era el único hombre que la había dejado por ser quien era, y por lo que creía que no podría llegar a darle—. Tengo entendido que estuviste en Vietnam —añadió débilmente. Él asintió—. Debió de ser espantoso. —Tenía miedo de ahuyentarlo de nuevo, de cometer una terrible equivocación. Sabía que era muy orgulloso y en ese momento, sólo con mirarlo, comprendió que no volvería a acercarse a ella.

También él la contemplaba. Se preguntaba en qué se había convertido y qué quería de él. Sin embargo, Katie tenía un aire inocente e inofensivo a pesar de su elevada posición social y de la amenaza que él creía que representaba. A los ojos de Peter, ella había amenazado su integridad y un vínculo insostenible entre el pasado en el que ya no vivía y el futuro que deseaba, pero que no tenía la menor idea de cómo alcanzar. Al mirarla entonces, con las nuevas experiencias que le había dado la vida, Peter apenas recordaba de qué había tenido tanto miedo entonces. Ella ya no le intimidaba, le parecía muy joven, ingenua e irresistiblemente atractiva.

Esa noche conversaron durante horas y después la acompañó a casa. Luego, aun sabiendo que no debía, la llamó por teléfono. Le pareció muy fácil al principio, incluso llegó a decirse que podían ser sólo amigos, lo que ninguno de los dos creía. Sólo sabía que quería estar cerca de ella. Era brillante y divertida, comprendía los sentimientos peculiares de Peter, que no hallaba su sitio en el mundo, y lo que quería hacer con su vida. En última instancia, en un punto muy lejano del camino, quería cambiar el mundo, o al menos intentarlo. Ella era la única persona que podía comprenderle. En aquella época tenía muchos sueños y buenas intenciones. Al cabo de veinte años, Vicotec iba a convertir en realidad esos viejos sueños.

Peter Haskell paró un taxi en la entrada del Charles de Gaulle. El taxista metió su equipaje en el maletero y asintió cuando Peter le indicó las señas. Todo en él sugería que era un hombre de mando, de estatura imponente. Aun así, su mirada delataba bondad y fortaleza, integridad, buen corazón y sentido del humor. Había mucho más en él que los trajes caros, la camisa blanca almidonada, las corbatas Hermès y el elegante maletín que llevaba.

—Qué calor, ¿verdad? —comentó Peter de camino a la ciudad, y el taxista volvió a asentir. Éste comprendió por el acento que era americano aunque hablaba francés, y le respondió en esa lengua, hablando despacio.

—Hemos tenido buen tiempo durante esta semana. ¿Viene de Estados Unidos? —Se notaba el interés del taxista. Era una reacción común de la gente ante Peter; se sentían atraídos hacia él, incluso en circunstancias poco propicias. El hecho de que hablara francés también le había impresionado.

—Vengo de Ginebra —explicó Peter, y se hizo de nuevo el silencio mientras él se sonreía pensando en Katie. Siempre deseaba que viajara con él, pero ella nunca lo hacía. Al principio los niños eran demasiado pequeños y más tarde estaba demasiado ocupada en sus propias cosas y obligaciones. A lo largo de los años no le había acompañado más que en dos viajes de negocios. Una vez a Londres y la otra a Suiza, pero nunca a París.

París era la culminación de todo cuanto Peter había soñado sin saber siquiera que lo quería. Habían sido años de duro trabajo para conseguir todo lo que poseía, aunque una parte la hubiera conseguido con mayor facilidad. En todo caso, él sabía que no había nada fácil. Nadie regala nada en esta vida. Se ha de trabajar por lo que se recibe, de lo contrario, acaba uno con nada.

Tras el reencuentro, había estado saliendo con Katie durante dos años. Ella se quedó en Chicago después de licenciarse y entró a trabajar en una galería de arte para estar cerca de Peter. Estaba loca por él, pero él mantenía su decisión irrevocable de que no se casarían nunca. Peter no dejaba de insistir en que al final tendrían que dejarlo, que ella habría de volver a Nueva York y empezar a salir con otros. Sin embargo, no tenía fuerzas para romper y esperaba que fuera ella quien lo hiciera. Para entonces estaban ya demasiado unidos y Katie sabía que él la amaba. Fue el padre de Katie quien intervino. Era un hombre inteligente, así que no dijo nada sobre su relación, sólo habló de negocios. Percibía por instinto que ésa era la única forma de lograr que Peter bajara la guardia. Frank Donovan quería que su Kate y Peter fueran a vivir a Nueva York, e hizo cuanto pudo por ayudar a su hija.

Al igual que Peter, Donovan era un experto en mercadotecnia, y de los mejores. Habló con Peter de su carrera, de sus proyectos y de su futuro, le gustó lo que Peter le dijo y le ofreció un puesto en Wilson-Donovan. No mencionó a Katie. De hecho, insistió en que el trabajo no tenía absolutamente nada que ver con ella. Aseguró a Peter que trabajando para Wilson-Donovan su carrera recibiría un impulso decisivo, y le prometió que nadie pensaría jamás que tuviera nada que ver con Katie. Según Donovan, esa relación era un tema aparte. Peter sabía que aquel trabajo merecía la pena. A pesar de todos sus miedos, aquel puesto en una de las corporaciones más importantes de Nueva York era justamente lo que querían, tanto él como Katie.

Peter sufrió un verdadero tormento para decidirse, debatiéndose en un mar de vacilaciones. Hasta su padre pensó que era una buena idea, cuando Peter le telefoneó para contárselo. Viajó luego a Wisconsin para discutirlo con él durante un largo fin de semana. Su padre quería la luna para él y le animó a aceptar la oferta de Donovan. Veía en Peter algo que ni él mismo había captado aún. Peter tenía cualidades de líder que pocos hombres poseían, una fortaleza reservada y un valor inusual. Sobre todo, su padre sabía que Peter saldría con bien de todo cuanto emprendiera, y presentía que el puesto en Wilson-Donovan no sería más que el principio. Cuando era pequeño, su padre solía decir en broma a su madre que algún día Peter llegaría a presidente, o al menos a gobernador de Wisconsin, y algunas veces ella también lo creía. Resultaba fácil creer tales cosas de Peter.

También su hermana Muriel opinaba lo mismo. Para ella, su hermano Peter siempre había sido un héroe, antes incluso de que se fuera a Chicago, a Vietnam, e incluso a la universidad. Peter tenía algo especial y todo el mundo lo sabía. Al igual que su padre, Muriel le aconsejó que fuera a Nueva York en busca de fortuna. Le preguntó incluso si se casaría con Katie, pero él insistió en que no lo haría, lo que pareció entristecerla. Por las referencias que tenía, Muriel consideraba que Katie era una mujer deslumbrante de la alta sociedad y la encontró hermosa en las fotos que le enseñó su hermano.

Ya hacía tiempo que el padre de Peter le había instado a llevar a Katie a casa, pero éste siempre respondía que no quería darle falsas esperanzas sobre su futuro. Probablemente acabaría sintiéndose como en su casa y Muriel le enseñaría a ordeñar las vacas. Y luego ¿qué? Eso era todo lo que podía darle, y nadie lo convencería de arrastrar a Katie a aquella vida erizada de dificultades en la que él había crecido. Peter estaba convencido de que aquella vida precisamente había matado a su madre, que había muerto de cáncer por carecer de los debidos cuidados médicos y del dinero para pagarlos. Su padre no tenía siquiera un seguro. Por ello Peter creía que su madre había muerto extenuada por la pobreza y las penalidades de toda una vida. A pesar de que Katie disponía de dinero, la amaba demasiado para condenarla a aquella existencia miserable, o permitir siquiera que la viera de cerca. Con sólo veintidós años su hermana estaba ya avejentada. Se había casado nada más terminar el instituto, mientras Peter combatía en Vietnam, y había tenido tres criaturas con su novio de siempre en los tres años siguientes. A los veintiuno parecía ya agotada y triste. También para su hermana hubiera querido mucho más, pero con sólo mirarla sabía que nunca lo conseguiría, que para ella no habría más vida que aquélla. No había ido a la universidad y se había quedado atrapada en su pequeño mundo. Tanto Peter como su hermana sabían perfectamente que ella y su marido trabajarían en la vaquería de su padre durante el resto de sus vidas, a menos que la perdieran o que murieran. Para todos era igual, salvo para Peter. Muriel no sentía el menor rencor, al contrario, se alegraba por él. Los cielos se le habían abierto y todo lo que Peter tenía que hacer era emprender el camino que Frank Donovan le ofrecía.

—Hazlo, Peter —le pidió Muriel cuando Peter fue a la granja a hablar con su familia—. Ve a Nueva York. Papá quiere que lo hagas —le aseguró con generosidad—. Es lo que queremos todos. —Era como si todos ellos le pidieran que se salvase, que intentara alejarse de una vida en la que acabaría por hundirse.

Peter tenía un nudo en la garganta cuando se alejó de la vaquería aquel fin de semana. Su padre y Muriel se quedaron en la entrada contemplándolo y agitando la mano hasta que su coche desapareció de la vista. Era un momento decisivo, más aún que Vietnam. En lo más profundo de su corazón, Peter estaba cortando las ligaduras que le ataban a la vaquería para siempre, y todos eran conscientes de ello.

Cuando Peter volvió a Chicago, pasó la noche solo, sin llamar a Katie. A la mañana siguiente telefoneó a su padre y después aceptó su oferta en persona con un apretón de manos.

Peter empezó a trabajar en Wilson-Donovan dos semanas más tarde. Una vez instalado en Nueva York, cada mañana al despertarse se sentía como si acabara de ganar el derby de Kentucky.

Katie abandonó el trabajo de recepcionista en la galería de arte de Chicago el mismo día en que Peter se marchaba, y volvió a Nueva York, a la casa de su padre. Frank Donovan estaba encantado. Su plan había funcionado. Su pequeña había vuelto a casa y había encontrado a un hombre brillante y experto en mercadotecnia. El arreglo convenía a todos.

Durante los meses siguientes Peter se concentró más en el trabajo que en su vida privada. Al principio Katie se sintió molesta, pero cuando se quejó a su padre, éste le aconsejó sensatamente que tuviera paciencia. Con el tiempo Peter acabó relajándose y perdiendo la ansiedad por los proyectos que pudieran quedar inconclusos en la oficina. No obstante, insistía en hacerlo todo a la perfección para justificar la confianza que Frank había depositado en él, y demostrarle su agradecimiento.

No volvió a pisar la vaquería de Wisconsin; nunca tenía tiempo. Aun así, Katie se sintió aliviada cuando por fin Peter empezó a hacerse un hueco para diversiones en su apretada agenda. Asistieron a fiestas, fueron al teatro y ella le presentó a todos sus amigos. A Peter le sorprendió constatar que le gustaban.

Poco a poco, a lo largo de los meses, las cosas que antes tanto habían aterrado a Peter empezaron a no parecerle tan preocupantes. Su carrera marchaba viento en popa y, para su asombro, a nadie le molestaba el puesto que ocupaba ni cómo lo había conseguido. De hecho, parecía que gustaba a todos y que era bien aceptado. Arrebatados en una oleada de felicidad, él y Katie se prometieron antes de que pasara un año, lo que no sorprendió a nadie, salvo quizá al propio Peter. En todo caso, hacía tanto tiempo que la conocía y había acabado por sentirse tan cómodo en su mundo, que creía pertenecer también a él. Frank Donovan afirmó que era cosa del destino y Katie estaba más que convencida. Ni por un instante había dudado de que Peter era el hombre de su vida.

Muriel se alegró mucho cuando Peter la llamó para darle la noticia. Al final, fue el padre de Peter el único en oponerse al matrimonio y en decepcionar a su hijo. Así como su padre había creído que el empleo en Wilson-Donovan constituía una oportunidad inmejorable, opinaba que con el tiempo Peter lamentaría aquella unión.

—Siempre te considerarán un cazadotes si te casas con ella, hijo. No está bien, no es justo, pero así son las cosas. Cada vez que te miren, recordarán de dónde procedes y olvidarán el lugar que ocupas ahora.

Peter no lo veía del mismo modo. Había aprendido a vivir en el mundo de Katie y formaba parte de él. Su propio mundo, el de antaño, le parecía de otra vida, a la que era ya completamente ajeno. Era como si hubiera nacido en Wisconsin por casualidad, o como si hubiera sido otra persona y en realidad él no hubiera estado jamás allí. Incluso Vietnam le parecía más real que sus primeros pasos en la vaquería de Wisconsin. Algunas veces le resultaba difícil creer que hubiera pasado allí más de veinte años. En poco menos de un año Peter se había convertido en un hombre de negocios, en hombre de mundo y en neoyorquino. Seguía queriendo a su familia, por supuesto, eso no iba a cambiar, pero la idea de convertirse en granjero de vacas seguía produciéndole pesadillas. En todo caso, por mucho que lo intentó, no logró convencer a su padre de que hacía lo correcto. El señor Haskell se mantuvo en sus trece, aunque finalmente accedió a asistir a la boda, sin duda sólo porque estaba harto de discutir con Peter.

Sin embargo, su padre finalmente no acudió. Tuvo un accidente con el tractor una semana antes de la boda que le dejó la espalda destrozada y un brazo roto. Además, Muriel estaba a punto de dar a luz su cuarto hijo. Ella no podía asistir y su marido, Jack, no quería dejarla sola. En principio Peter se sintió desconsolado, pero, como ocurría con todo en su nueva vida, acabó por dejarse llevar por el remolino de actividad que bullía a su alrededor.

Pasaron la luna de miel en Europa. En los meses posteriores a su regreso no encontraron el momento para ir a Wisconsin. Si no era Katie, era Frank, pero siempre había planes que llevar a cabo, a pesar de todas las promesas y buenas intenciones. Por fin, en Navidad, Peter prometió a su padre que irían a visitarlos, y nada ni nadie se lo impediría. Ni siquiera se lo dijo a Kate; quería darle una sorpresa. De todos modos, empezaba a sospechar que sería el único modo de hacerlo.

No obstante, poco antes del día de Acción de Gracias, el padre de Peter murió de un ataque al corazón, dejando a su hijo abrumado de culpabilidad, dolor y arrepentimiento por todo lo que había querido hacer y nunca había hecho. Kate ni siquiera había llegado a conocerlo.

Peter la llevó al funeral. Fue un día sombrío y lluvioso. Ella y Peter permanecieron juntos con rostro inexpresivo, pero era evidente que Peter estaba destrozado. Su hermana Muriel se hallaba a cierta distancia y sollozaba junto a su marido y sus hijos. Había un extraño contraste entre las gentes de la vaquería y las de la gran ciudad. Peter empezó entonces a comprender que se había abierto un gran abismo entre ellos, que ya no tenían nada en común. Katie también se sentía incómoda en la vaquería y no se molestaba en disimularlo, y Muriel se había mostrado sorprendentemente fría con ella, lo que era contrario a su carácter habitual. Cuando Peter se aventuró a comentárselo a su hermana, Muriel murmuró con torpeza que Katie no era de su mundo, que a pesar de ser la esposa de Peter ni siquiera había llegado a conocer a su padre, que vestía abrigo y gorro de pieles de color negro, ambas prendas muy caras, y que parecía irritada por tener que estar allí. Sus mordaces críticas habían provocado una discusión entre los hermanos; después habían llorado juntos. Más tarde, la lectura del testamento dio pie a nuevas tensiones. Su padre había dejado la vaquería a Muriel y Jack, lo que había provocado una indignación patente en Kate.

—¿Cómo ha podido hacerte eso? —se había quejado en la intimidad del antiguo dormitorio de

Peter. El suelo era de linóleo rojizo y la vieja pintura marrón de las paredes estaba agrietada. No se parecía en nada a la casa que Frank les había comprado en Greenwich—. ¡Te ha desheredado! —dijo Kate encolerizada, y Peter intentó explicárselo. Él lo comprendía perfectamente.

—Es todo lo que tienen, Kate. Este lugar miserable y olvidado de la mano de Dios. Su vida entera está aquí. Yo tengo mi carrera, un buen trabajo y mi vida contigo. No necesito esta granja. Ni siquiera la quiero, y papá lo sabía. —Peter no lo consideraba un desaire ni una injusticia. Quería que Muriel se quedara con la vaquería.

—Podrías haberla vendido para repartir el dinero con ellos y se hubieran podido mudar a un lugar mejor.

—No es eso lo que quieren, Kate, y con toda probabilidad era precisamente eso lo que papá temía. Él no quería que vendiéramos la vaquería que tardó toda una vida de trabajo en comprar.

Kate no habló de lo que pensaba sobre la granja, que le parecía un auténtico desastre, pero Peter lo comprendió por el modo en que lo miraba y por el silencio que se produjo entre ellos. En lo que a Kate concernía, la vaquería era peor aún de lo que Peter le había contado en la universidad, y sentía un gran alivio de no tener que volver. Al menos ella no pensaba volver jamás, y si tenía algo que decir al respecto, después de que su padre lo hubiera desheredado, tampoco Peter iba a hacerlo.

Muriel seguía molesta cuando se marcharon. Peter tuvo la incómoda sensación de que también a ella, como a su padre, le estaba diciendo adiós para siempre. Le parecía que era eso lo que Kate quería, aunque nunca se lo dijo directamente. Era como si su mujer quisiera que rompiera sus vínculos sanguíneos, que sus raíces, su devoción y sus afectos le pertenecieran a ella exclusivamente. Parecía casi como si tuviera celos de Muriel y del período de su vida que ella representaba. El hecho de que no hubiera heredado nada de la vaquería resultó una buena excusa para ponerle fin.

—Hiciste bien en marcharte de aquí hace años —le dijo Kate cuando se alejaban en el coche. No parecía haber reparado en que Peter estaba llorando. A ella sólo le importaba volver a Nueva York tan deprisa como fuera posible—. Peter, tú no perteneces a este lugar —dijo con firmeza.

Él quería discutírselo, decirle que se equivocaba, defender a los suyos por lealtad, pero sabía que Kate estaba en lo cierto y se sentía culpable por esa misma razón. Él no había pertenecido jamás a aquel lugar.

Cuando subieron al avión en Chicago, Peter notó un gran alivio. Había vuelto a escapar. En cierto sentido, había temido que su padre le hubiera dejado a él la vaquería para que la dirigiera, pero su padre lo conocía bien y no había cometido semejante insensatez. Ahora Peter ya no tenía nada que ver con la vaquería, no era su dueño y ya no podía devorarlo, como él temía. Por fin era libre. Había pasado a ser problema de Muriel y Jack.

El avión despegó en dirección al aeropuerto Kennedy. Peter supo entonces que también había dejado atrás todo lo que representaba la vaquería.

Lo único que no deseaba era haber perdido también a su hermana.

Durante el vuelo de regreso a casa no dijo nada, y en las semanas siguientes, lloró la muerte de su padre en silencio. Poco habló de ello con Kate, sobre todo porque tenía la impresión de que ella no quería oírlo. Telefoneó a Muriel un par de veces, pero siempre la encontraba ocupada con los niños o presta a salir para ayudar a Jack con las vacas. Nunca tenía tiempo para charlar y, cuando lo tenía, a Peter no le gustaban los comentarios que hacía sobre Kate. Las abiertas críticas de su hermana contra su mujer provocaron una brecha definitiva entre ellos y, al cabo de un tiempo, dejó de llamarla. Se concentró en su trabajo y halló solaz en los asuntos de la oficina. Se sentía plenamente en su hogar. De hecho, toda su vida en Nueva York le parecía la existencia perfecta. Se desenvolvía a las mil maravillas en la Wilson-Donovan, entre sus amigos, y en la vida social que Kate había creado para ellos. Parecía haber nacido para vivir así.

Para sus amigos de Nueva York, Peter era uno de ellos. Era cortés y refinado, y la gente se lo tomaba a guasa cuando afirmaba que se había criado en una vaquería. En general, nadie le creía. Les parecía más bien un nativo de Boston o de Nueva York mismo. También aceptó con buena voluntad los cambios que los Donovan esperaban de él. Frank había insistido en que vivieran en Greenwich, Connecticut, igual que él. Quería tener cerca a «su niña»; además, ella estaba acostumbrada y le gustaba. La Wilson-Donovan tenía su sede en Nueva York, donde disponían de un apartamento, pero los Donovan siempre habían vivido en Greenwich. Se llegaba fácilmente a Nueva York en tren, trayecto que Peter hacía diariamente con Frank. A Peter le gustaba vivir en Greenwich, le encantaba la casa y también estar casado con Kate. Por lo general se llevaban muy bien. Su única discrepancia importante seguía siendo el hecho de que Kate opinaba que él debería haber heredado la vaquería para luego venderla. En todo caso, hacía tiempo que habían dejado de discutir sobre ese asunto por respeto a la opinión de cada uno.

A Peter sólo le preocupaba una cosa: que Frank les hubiera comprado su primera casa. Él había intentado oponerse, pero Kate le había rogado que accediera y él no había querido disgustarla. Kate quería una casa grande en la que pudieran tener familia rápidamente. Por lo demás, Peter no podía comprar el tipo de casa a la que su mujer estaba acostumbrada y en la que Frank consideraba que debía vivir su hija. Aquél era el tipo de problema al que tanto había temido Peter, pero los Donovan lo resolvieron con elegancia. Frank compró una hermosa casa de estilo Tudor y la llamó «regalo de boda». A Peter le pareció una mansión. Era lo bastante grande para criar tres o cuatro hijos, con un bonito suelo de madera, comedor, sala de estar, cinco dormitorios, un gran estudio para él, una sala para la familia y una maravillosa cocina rústica. Estaba muy lejos de la vieja y desvencijada vaquería que su padre había legado a Muriel.

Frank quería también contratar a alguien que limpiara y cocinara para ellos, pero Peter se opuso firmemente y anunció que él mismo cocinaría si era necesario. Sin embargo, Kate aprendió a cocinar. Pero por Navidad sufría tales náuseas que le era imposible hacer nada y Peter tuvo que encargarse de casi todo. No le importaba, porque estaba encantado ante la idea de tener un hijo. A él le parecía una especie de intercambio místico a modo de consolación por la pérdida de su padre, que aún seguía atormentándole.

Fue el principio de dieciocho años felices y fructíferos. Tuvieron tres hijos en sus primeros cuatro años de matrimonio y, desde entonces, la vida de Kate se llenó de comités de beneficencia y asociaciones de padres, a los que asistía con sus amigas en el coche de una de ellas, para lo cual se turnaban. Era la vida que ella deseaba. Los niños desarrollaban múltiples actividades: fútbol, béisbol, natación... Recientemente, Kate se había presentado a las elecciones para la junta escolar de Greenwich. Se había integrado totalmente en su comunidad, le preocupaba la ecología y muchos otros temas en los que Peter sabía que él también debería interesarse, pero no lo hacía. Le gustaba decir que Kate se ocupaba del mundo que los rodeaba, porque él tenía bastante con mantener la cabeza por encima del agua en la oficina.

También en esa cuestión participaba Kate. Su madre había muerto cuando ella sólo tenía tres años, y Kate se había convertido en la compañera constante de su padre. A medida que se iba convirtiendo en adulta, Kate había aprendido todo lo referente a su negocio, y así siguió siendo cuando Peter y ella se casaron. En ocasiones Kate sabía cosas sobre la compañía antes incluso que Peter. Y si éste compartía alguna noticia con ella, se sorprendía siempre al comprobar que Kate ya lo sabía. A lo largo de los años habían tenido algunos roces por ello, pero Peter estaba dispuesto a aceptar el papel que desempeñaba Frank en sus vidas. Los vínculos que le unían con su hija eran más fuertes de lo que Peter esperaba, pero ningún mal había en ello, porque Frank era un hombre justo que sabía juzgar con acierto. Al menos eso creía Peter hasta que Frank intentó decirle a qué guardería debía llevar a su hijo. En esa ocasión Peter impuso sus criterios y los mantuvo hasta el instituto, o lo intentó. No obstante, en ciertas ocasiones el padre de Kate se mantuvo absolutamente inamovible, lo que molestaba a Peter aún más porque Kate se ponía de su parte, por muy diplomática que fuera al hacerse eco de sus opiniones. De hecho, se mostró de acuerdo con su padre con mayor frecuencia de la que Peter hubiera deseado.

Con todo, era un matrimonio feliz y Peter tenía tantas cosas que agradecerle a la vida que no se sentía con derecho a protestar por algún que otro enfrentamiento con el padre de Kate.

La única desgracia que acaeció en su vida fue la muerte de su hermana. Muriel falleció a causa de un cáncer, como su madre, a los veintinueve años de edad. Al igual que su madre, tampoco había podido pagarse un tratamiento adecuado. Ella y su marido eran tan orgullosos que jamás llamaron a Peter para decírselo. Muriel se hallaba a las puertas de la muerte cuando por fin Jack telefoneó a su cuñado. Peter fue a Wisconsin y se le rompió el corazón al verla en aquel estado. Murió unos días después. En menos de un año, Jack vendió la vaquería, volvió a casarse y se fue a vivir a Montana. Peter tardó varios años en saber a dónde se había ido o qué había sido de sus sobrinos, y cuando finalmente volvió a recibir noticias de Jack, Kate dijo que había corrido mucha agua bajo el puente y que haría mejor olvidándolos. Peter envió el dinero que Jack le había solicitado por teléfono, pero nunca fue a Montana para ver a los niños. Sabía que no le reconocerían, que tenían una nueva madre y una nueva familia, y que en realidad Jack sólo le había llamado porque necesitaba dinero. Jack no apreciaba al hermano de su primera mujer, ni Peter a él, aunque a Peter le hubiera gustado ver a sus sobrinos. Por otro lado, estaba demasiado ocupado para ir a Montana y, en cierta manera, era más fácil dejarlo todo como estaba y como le recomendaba Kate, aunque se sintiera culpable.

Peter tenía su propia vida, su propia familia, unos hijos a los que proteger y por los que luchar. Lucha ciertamente la hubo cuando su hijo mayor, Mike, tuvo que ir al instituto. Al parecer todos los Donovan habían estudiado en Andover desde tiempos inmemoriales, y Frank creía que Mike también debía hacerlo, en lo que Katie se mostraba de acuerdo. Peter no quería enviar a Mike a un lugar lejano, quería que se quedara en casa hasta que tuviera que ir a la universidad. Esta vez, sin embargo, ganó Frank. Era Mike quien tenía el voto decisivo, y su madre y abuelo le habían convencido de que, a menos que estudiara en Andover, jamás conseguiría entrar en una buena universidad, que perdería toda posibilidad de encontrar un buen trabajo después y valiosas relaciones durante los estudios. Estos argumentos parecían ridículos a Peter, quien señaló que él había estudiado en la Universidad de Michigan y en la escuela nocturna de Chicago en su último año, y que jamás había oído hablar de Andover cuando vivía en Wisconsin.

—Y no me ha ido nada mal —añadió. Dirigía una de las corporaciones más importantes del país, pero no estaba preparado para la réplica de Mike:

—Sí, pero tú lo conseguiste por matrimonio.
—Fue el peor golpe que podía haberle dado su hijo.

Algo en la mirada de Peter debió indicar a Mike la dureza de aquel golpe, porque acto seguido quiso explicar que no había querido decir lo que parecía, y que dos décadas antes las cosas eran «diferentes», pero ambos sabían que no era cierto. Al final, Mike se había ido a Andover y en septiembre iría a Princeton, como su abuelo. También Paul se hallaba en Andover y sólo Patrick, el más joven, hablaba de quedarse en un instituto cercano, o quizá irse a Exeter, sólo por hacer algo distinto. También hablaba de marchar interno a California. Aún le quedaba un año para pensárselo. A Peter le hubiera gustado cambiar aquel estado de cosas, pero sabía que no podía. Realizar los estudios secundarios fuera de casa era una tradición de los Donovan. Incluso Kate, a pesar de los fuertes lazos que la unían a su padre, había estudiado en la escuela de Miss Porter. Peter hubiera preferido que sus hijos se quedaran en casa, pero disfrutar de su compañía apenas unas semanas al año era un sacrificio pequeño, decía, a cambio de una gran educación. Como Frank siempre decía, estaban haciendo importantes amistades que les durarían toda la vida. Peter notaba más la ausencia de sus hijos porque, aparte de Kate, eran la única familia que le quedaba, y seguía echando de menos a Muriel y sus padres.

La carrera de Peter se desarrolló de manera brillante con los años. Acabó siendo un hombre importante que pudo comprar una casa más grande y pagarla de su bolsillo. Era una hermosa casa con dos hectáreas y media de terreno en Greenwich, pues aunque a Peter le atraía a veces la ciudad, sabía que para Kate era muy importante permanecer en Greenwich, donde había vivido toda su vida. Kate seguía preocupándose por las cuestiones domésticas de su padre y muchos fines de semana acudía con Peter a su casa para charlar de temas de familia, de negocios, o para un amistoso partido de tenis.

En verano Kate y su marido iban a Martha's Vineyard, también para estar cerca de Frank, que poseía allí una espléndida finca desde hacía años. La de los Haskell era más modesta, pero Peter estaba de acuerdo con Kate en que era un lugar magnífico para los chicos y además le gustaba. De hecho, tan pronto como pudo permitirse el lujo de comprar una casa propia, Peter obligó a su mujer a abandonar la casita que les había prestado su padre en su propia finca, y adquirió una casa preciosa muy cerca. A los chicos les había encantado la cabaña que les construyó su padre para su uso personal, y a la que les permitía invitar a sus amigos, cosa que hacían con frecuencia. Durante años, Kate y Peter estuvieron rodeados de niños, sobre todo en Vineyard.

El matrimonio disfrutaba de una vida placentera y próspera. A pesar de que Peter había tenido que ceder en ciertas cuestiones, sabía que no había sacrificado sus principios ni su integridad. Por otra parte, Frank le daba carta blanca en los negocios. Peter había presentado ideas brillantes que rápidamente habían afectado a la compañía de modo positivo, haciéndola crecer más de lo que Frank hubiera imaginado. Las sugerencias de Peter habían sido inestimables y sus decisiones audaces pero seguras. Frank sabía lo que se hacía cuando le había ofrecido el trabajo, y más aún cuando le nombró presidente de la Wilson-Donovan. En aquella época Peter tenía sólo treinta y siete años, pero había dirigido la compañía eficazmente desde el principio. Siete años habían transcurrido desde entonces, cuatro de ellos dedicados a crear Vicotec, lo que había resultado extremadamente difícil, pero también brillante, como siempre. Había sido el proyecto más querido de Peter desde su comienzo, y él había convencido a Frank de que se siguiera esa línea de investigaciones científicas. La inversión fue enorme, pero ambos convenían en que había valido la pena a largo plazo. Para Peter era la culminación de su sueño: ayudar a la humanidad sin dejar de pertenecer al lucrativo mundo de los negocios. También quería ponerlo en marcha lo antes posible en recuerdo de su madre y de Muriel. De haber dispuesto de un producto como Vicotec, tal vez hubieran salvado la vida, o al menos se la hubieran prolongado. Por ellas, sobre todo, quería que las personas desvalidas a causa de la pobreza pudieran servirse de su medicamento.

Volvió a pensar en ello en el taxi, y una vez más lamentó que Katie no le hubiera acompañado.

Peter consideraba que París era la ciudad perfecta. La había visitado por primera vez en viaje de negocios quince años atrás, y tuvo la sensación de que se hallaba en el mundo para disfrutar de aquel momento único. Aún recordaba su recorrido en coche por los Campos Elíseos en dirección al Arco de Triunfo, y la bandera francesa que ondeaba noblemente bajo la brisa desde dentro del Arco. Detuvo el coche, bajó y se quedó contemplándolo, avergonzado de descubrir que estaba llorando.

Katie solía burlarse de él afirmando que debía haber sido francés en otra vida, puesto que tanto amaba París. Era una ciudad en la que jamás lo había pasado mal. Y sabía que en esta ocasión no sería diferente. A pesar del estilo bastante taciturno de Paul-Louis Suchard, esperaba que el encuentro con él fuese agradable.

Mientras el taxi sorteaba el tráfico del mediodía, Peter iba reconociendo los lugares emblemáticos, como los Inválidos o la Ópera. Minutos después entraban en la place Vendôme y Peter se sintió casi como si llegara a casa. En medio de la plaza se alzaba el obelisco y, entrecerrando los ojos, pudo imaginar los carruajes con sus escudos de armas, llenos de nobles franceses con pelucas blancas y calzones de raso. Peter sonrió ante sus divagaciones cuando el taxi se detuvo frente al Ritz y el portero se apresuró a abrirle la puerta. Reconoció a Peter, como parecía reconocer a cuantos llegaban al hotel, e indicó a un botones que se hiciera cargo de la única maleta de Peter, mientras éste pagaba al taxista.

La fachada del Ritz era sorprendentemente modesta. Sólo resaltaba en ella un pequeño toldo, y no impresionaba demasiado al lado de la miríada de tiendas que la rodeaban. Cerca se hallaban Chaumet y Boucheron, Chanel estaba en una esquina de la plaza y un poco más allá se veía JAR's, la exclusiva joyería cuyo nombre lo componían las iniciales de su fundador, Joel A. Rosenthal. Pero sin duda el hotel Ritz se contaba entre los más importantes elementos de la plaza y Peter afirmaba siempre que era el mejor del mundo. Era el decadentismo y el lujo llevados al extremo. Siempre se sentía un poco culpable por alojarse allí cuando visitaba la ciudad en viaje de negocios, pero era un elemento de fantasía en una vida que, por lo demás, era absolutamente ordenada y prudente. A Peter le encantaban la sutileza, la elegancia y exquisita decoración de las habitaciones, la suntuosa belleza del brocado de las paredes y las hermosas chimeneas antiguas.

El Ritz nunca le decepcionaba; era como una mujer a la que se visita de vez en cuando y siempre te aguarda con los brazos abiertos, más encantadora aún que la vez anterior. En cuanto traspuso la puerta giratoria fue recibido por un conserje uniformado que le acompañó hasta recepción. También aguardar allí para firmar el registro de entrada resultaba divertido, pues se podía observar a quienes se hallaban en el vestíbulo. A la izquierda de Peter había un apuesto sudamericano de edad acompañado por una jovencita de vestido rojo. Charlaban en voz baja en español. La mujer llevaba las uñas impecablemente pintadas y un peinado perfecto, además de un enorme diamante. Ella lo miró y sonrió. Peter ofrecía el aspecto de lo que era exactamente: un hombre rico que se movía en los círculos de elite. Sin embargo, seguía pareciendo joven y era muy apuesto. Y si uno le miraba a los ojos, descubría en ellos algo que fascinaba, una bondad y una compasión inusuales en los hombres poderosos. La mujer de rojo no vio esto último; se limitó a observar su corbata Hermès, las manos fuertes y cuidadas, el maletín, los zapatos ingleses y el traje a medida, y tuvo que esforzarse para volver a mirar a su acompañante.

Al otro lado de Peter había tres japoneses maduros muy bien vestidos con trajes oscuros; los tres fumaban y charlaban discretamente. Un hombre más joven los aguardaba mientras un conserje de la recepción hablaba con ellos en japonés. Peter se volvió, esperando aún su turno, y percibió cierto revuelo en la puerta cuando entraron cuatro hombres corpulentos de tez oscura, que parecían controlar la situación. Dos hombres de aspecto similar entraron justo después, y luego, como una máquina de chicles que escupiera su mercancía, por la puerta giratoria aparecieron tres mujeres muy atractivas con trajes de Dior de brillantes colores. Era en realidad el mismo traje en diferentes tonos, pero las mujeres eran muy distintas entre sí. Al igual que la sudamericana en la que se había fijado Peter, aquellas mujeres tenían un aire inmaculado. Todas llevaban diamantes en el cuello y las orejas, y vistas en grupo causaban una gran impresión. En unos instantes los seis guardaespaldas que las acompañaban las rodearon, al tiempo que entraba un árabe mucho más viejo y distinguido.

—El rey Khaled... —oyó que susurraba alguien cercano—, o podría ser su hermano... Las tres son esposas suyas... Se quedará un mes aquí... Han reservado todas las habitaciones del cuarto piso que dan a los jardines...

Se trataba del dirigente de una pequeña nación árabe. Peter contó en total ocho guardaespaldas cuando el grupo atravesó el vestíbulo, y una especie de séquito que les seguía. Inmediatamente corrió a atenderlos uno de los conserjes. Aquella singular comitiva atrajo las miradas de todos hasta tal punto que casi nadie vio a Catherine Deneuve cuando ésta entró apresuradamente en el restaurante del hotel, y todos estuvieron a punto de olvidar que Clint Eastwood se hallaba alojado allí mientras rodaba una película a las afueras de París. En el Ritz eran habituales caras y nombres como aquéllos. Peter se preguntó si alguna vez llegaría a acostumbrarse como para que no le importara, porque él no conseguía apartar la vista ni fingir aburrimiento como hacían algunos de los habituales. Las encantadoras consortes del árabe charlaban y reían en voz baja, vigiladas de cerca por los guardaespaldas para impedir que alguien se les acercara, mientras el rey hablaba con otro hombre. De repente Peter se sobresaltó al oír una voz a su espalda.

—Buenas tardes, señor Haskell. Bienvenido. Nos alegramos de verle de nuevo por aquí.

—También yo me alegro de haber vuelto. —Peter se dio la vuelta y sonrió al joven conserje que le habían asignado. El joven le ofreció una habitación del tercer piso; en opinión de Peter, no había habitaciones malas en el Ritz—. Al parecer tienen tanto trabajo como siempre —comentó, refiriéndose al rey y a su pequeño ejército de guardaespaldas.

—Como de costumbre... —El conserje sonrió y cogió el formulario que Peter acababa de rellenar—. Le mostraré su habitación. —Después de comprobar el pasaporte de Peter, el conserje dio el número de habitación a uno de los botones e indicó a Peter que le siguiera.

Pasaron por el bar y el restaurante, repletos de comensales bien vestidos, gente que se citaba allí para tomar algo o comer, para hablar de negocios o para planes más fascinantes. Peter vislumbró entonces a Catherine Deneuve, bella todavía, que se reía mientras hablaba con un amigo en una mesa de un rincón. En su recorrido por el largo vestíbulo en dirección al ascensor, pasaron también por las vitrinas, repletas de lujosos artículos de todas las boutiques y joyerías de París. Peter vio una pulsera de oro que estaba convencido de que gustaría a Katie, y anotó mentalmente que debía comprársela. Siempre le llevaba regalos de sus viajes, una especie de reconocimiento por no haber podido ir con él debido a que los hijos eran demasiado pequeños. Ahora ya no tenía ese problema, pero no quería viajar con él y Peter lo sabía. Ella disfrutaba con sus comités y sus amigos, y siempre hallaba excusas para no ir. Peter no insistía, pero seguía llevándole regalos. También a los chicos, aunque fueran mayores, como última reminiscencia de su infancia.

Peter y el conserje llegaron por fin al ascensor. El árabe y su séquito habían subido a su docena de habitaciones minutos antes. Eran huéspedes habituales del hotel. Las mujeres, sobre todo, pasaban los meses de mayo y junio en París, y algunas veces se quedaban hasta la temporada veraniega de desfiles de modas. También volvían en invierno por la misma razón.

—Hace calor este año —comentó Peter amigablemente al conserje mientras esperaban el ascensor.

En realidad el día invitaba a tumbarse en la hierba para contemplar el cielo y no hacer nada, pero Peter tenía la intención de llamar a Suchard.

—Ha hecho calor toda la semana —dijo el conserje.

El buen tiempo ponía de buen humor a todo el mundo, y el aire acondicionado del hotel garantizaba la comodidad. Ambos hombres sonrieron cuando vieron pasar a una americana con tres terriers Yorkshire. Los perritos tenían el pelaje exageradamente esponjoso e iban cubiertos de lazos.

Peter notó entonces una súbita actividad a su espalda, como si el área en que se hallaban se hubiera cargado de electricidad. La mujer de los perros también alzó la vista, sorprendida. Peter se preguntó si aún se trataría de los árabes y sus guardaespaldas o de alguna estrella de cine. Se volvió para ver qué ocurría. Un grupo de hombres con trajes oscuros, pequeños auriculares ajustados a la oreja y radiotransmisores en la mano se acercaba al ascensor. Eran cuatro y resultaba imposible ver quién caminaba tras ellos.

Al llegar a la altura de Peter y el conserje, los guardaespaldas se apartaron y dejaron al descubierto a otro grupo de hombres. Éstos vestían trajes ligeros y parecían norteamericanos. Uno de ellos era más alto y rubio que los demás. Parecía una estrella de cine. Los tres hombres que lo acompañaban estaban pendientes de sus palabras, muy serios e interesados, pero de repente estallaron en carcajadas.

Peter se quedó intrigado por aquel hombre, seguro de haberlo visto en alguna parte. De repente lo recordó. Era Anderson Thatcher, el controvertido y dinámico senador por Virginia. Tenía cuarenta y ocho años y había sido amenazado por el escándalo en más de una ocasión, pero siempre había conseguido disiparlo. También la tragedia le había alcanzado más de una vez. Su hermano Tom, que se presentaba como candidato a la presidencia de EE.UU., había sido asesinado hacía seis años, justo antes de unas elecciones de las que era el seguro ganador. Se habían planteado todo tipo de teorías sobre los posibles asesinos, e incluso se habían realizado dos películas muy malas sobre el tema, pero sólo se había conseguido saber que le había disparado un hombre solo, un loco. Desde entonces, Anderson Thatcher, Andy, como le conocían los amigos, había surgido de entre las filas de aliados y enemigos y parecía un serio candidato para las siguientes elecciones presidenciales. Aún no había anunciado su candidatura, pero los que se movían en los círculos del poder sabían que ésa era su intención. Peter había seguido su carrera con interés y, a pesar de los comentarios poco favorables que había oído sobre su vida privada, creía que podía ser un candidato interesante. Al verlo rodeado de guardaespaldas y agentes de su campaña comprobó su carisma personal.

La tragedia había golpeado a Thatcher por segunda vez cuando el cáncer le arrebató a su hijo de dos años de edad. Peter no sabía mucho sobre el tema, pero recordaba haber visto unas estremecedoras fotografías en *Time* cuando el niño murió, sobre todo la de una esposa destrozada a la salida del cementerio, mientras Anderson aparecía cogido del brazo de su madre. La agonía que reflejaba el rostro de la joven esposa del senador había conmovido a Peter. En cualquier caso, su tragedia les había granjeado las simpatías del electorado.

Momentos después, mientras continuaban esperando el ascensor, el grupo de hombres se hizo a un lado. Fue entonces cuando Peter vio a otra persona detrás de ellos y rápidamente se dio cuenta de que se trataba de la mujer de la fotografía. La mujer tenía la mirada fija en el suelo y daba una impresión de ligera fragilidad, como si fuese a echarse a volar en cualquier momento. Tenía los ojos más grandes que Peter hubiera visto en su vida y poseía algo que resultaba fascinante. Vestía un traje de hilo azul celeste de Chanel. Ninguno de los hombres a los que acompañaba le prestaba atención, ni siquiera los guardaespaldas. De repente, mientras Peter la miraba, ella alzó los ojos hacia él. Su mirada era triste, pero no traslucía nada patético, sencillamente era indiferente a todo. Cuando la señora

Thatcher sacó unas gafas de sol de su bolso, Peter se fijó en sus manos delicadas y gráciles. Por fin llegó el ascensor. Los hombres entraron primero y ella los siguió tranquilamente. Mostraba una dignidad serena, como si se hallara en su propio mundo y no pareciera importarle nada más.

Peter siguió contemplándola con admiración. Se trataba sin duda de Olivia Douglas Thatcher y, al igual que su marido, procedía de una familia de destacados políticos. Su padre era el muy respetado gobernador de Massachusetts, y su hermano era congresista por Boston. Peter creía recordar que Olivia tenía unos treinta y cuatro años de edad. Se trataba de una de esas personas que fascina a la prensa, a pesar de que ella mostraba escaso interés por participar de la vida pública. Peter había visto entrevistas a su marido, pero no recordaba que le hubieran hecho ninguna a Olivia. En el interior del ascensor, Peter se hallaba justo detrás de ella, tan cerca que podría haberla abrazado. Esta idea estuvo a punto de hacerle gemir mientras miraba aquellos preciosos cabellos castaño oscuro. Ella pareció leerle el pensamiento, pues se volvió para mirarle. En el momento en que sus ojos se encontraron, Peter tuvo la sensación de que el tiempo se detenía. Volvió a sorprenderle la tristeza que reflejaban sus ojos, una tristeza que parecía hablarle sin palabras. Cuando ella volvió a darse la vuelta súbitamente, Peter se preguntó si serían imaginaciones suyas y al cabo salió del ascensor algo turbado.

El botones le había llevado ya la maleta a la habitación, que la supervisora de la planta había comprobado personalmente. Cuando Peter entró y miró alrededor, volvió a sentirse como si se hallara en el cielo. El brocado de las paredes era de suave tono melocotón, todo el mobiliario era antiguo, la chimenea de mármol color albaricoque y las cortinas y la colcha de la cama de seda y raso a juego. La habitación disponía de un cuarto de baño de mármol y de todas las comodidades imaginables. Era como un sueño hecho realidad. Peter se dejó caer en una cómoda butaca tapizada de raso y miró por la ventana hacia el jardín escrupulosamente cuidado.

Le dio una propina al conserje, se paseó lentamente por la habitación y luego salió al balcón para admirar las flores y pensar en Olivia Thatcher. Había una fuerza en el rostro y los ojos de aquella mujer que no había visto en ninguna otra persona, aunque estaba teñida de tristeza. Era como si hubiera querido transmitirle alguna cosa, a él o a quien la estuviera mirando. A su modo tenía más carisma y atractivo que su marido. A Peter no le parecía el tipo de persona que se presta a entrar en el juego de la política. No lo había hecho en realidad, ni siquiera estando su marido tan cerca de la candidatura. Se preguntó qué secretos guardaría aquella expresión, o si tal vez no había ninguno y él se había engañado. Tal vez no estaba triste en absoluto, sino sencillamente muy tranquila. Pero ¿por qué le había mirado de esa forma?

Aún seguía distraído por estos y otros pensamientos sobre ella después de llamar a Suchard. Su colega francés no pareció entusiasmado por aquella imprevista reunión en domingo, pero aceptó encontrarse con él una hora más tarde. Peter se paseaba por su habitación con impaciencia. Decidió llamar a Kate, pero, como de costumbre, no la encontró en casa. Sólo eran las nueve de la mañana en Connecticut, así que imaginó que habría ido a hacer algún recado o que tendría una de sus reuniones tempranas. Kate no solía estar en casa después de las nueve de la mañana, y nunca volvía antes de las cinco y media de la tarde. Desde que formaba parte de la junta escolar y sólo quedaba uno de sus hijos en casa, volvía más tarde incluso.

Peter abandonó por fin la habitación, ansioso por ver a Suchard, que era el jefe de sus diversos equipos de investigación más respetado y erudito. Su opinión sobre Vicotec pesaba más que la de cualquier otra persona.

El ascensor no tardó en llegar y Peter se apresuró a entrar en él. Llevaba el mismo traje oscuro de antes, pero se había puesto una camisa azul de cuello y puños blancos. En el ascensor iba una esbelta mujer vestida con pantalones de lino y una camiseta, toda de negro, además de gafas de sol. Llevaba el pelo peinado hacia atrás y unas sandalias. Cuando se dio la vuelta y miró a Peter, éste supo que se trataba de Olivia Thatcher, a pesar de las gafas.

Su aspecto había cambiado completamente. Parecía aún más joven y delgada que antes. Se quitó las gafas un momento y miró a Peter de soslayo. Peter estaba seguro de que también le había reconocido, pero ninguno de los dos dijo nada, y él intentó no mirarla. Sin embargo, se sintió fascinado, aunque no sabía por qué. Sus ojos tenían gran parte de culpa, sin duda, pero también el modo en que se movía y miraba, y la leyenda que la envolvía. Parecía muy orgullosa y segura de sí misma, serena e independiente. Peter tenía deseos de hacerle mil y una preguntas estúpidas, igual que los periodistas. ¿Por qué parece usted tan segura de sí misma, tan indiferente? Pero también parecía triste... ¿Está usted triste, señora Thatcher? ¿Qué sintió cuando murió su hijo? ¿Está deprimida ahora? Ése era el tipo de preguntas que siempre le hacían y que ella nunca contestaba. A Peter le hubiera gustado estrecharla entre sus brazos, saber qué sentía y por qué sus ojos le llamaban como dos manos extendidas hacia él, quería saber si era una locura haber interpretado así su mirada. Pero era consciente de que estaban destinados a ser unos extraños.

Peter olía su perfume, veía el suave brillo de sus cabellos, percibía la suavidad de su piel. Por fortuna, ya que no podía dejar de mirarla, llegaron por fin a la planta baja y las puertas del ascensor se abrieron. Abajo la esperaba un guardaespaldas. Ella no dijo nada, se limitó a salir y a echar a andar, seguida por aquel hombre. Qué vida tan extraña, se dijo Peter, mientras contemplaba cómo se alejaba, sintiéndose atraído por ella como por un imán. Se recordó a sí mismo que tenía cosas que hacer y que debía olvidar aquellas fantasías infantiles, pero Olivia Thatcher se había convertido en un misterio para él. Salió a la calle y, mientras esperaba a que el portero llamara un taxi, se preguntó si habría alguien que la conociera realmente. Una vez en el taxi, Peter la vio dar la vuelta a una esquina y enfilar la rue Royale, con la cabeza baja, seguida siempre por el guardaespaldas, y deseó saber con todas sus fuerzas a dónde iría.

2

La reunión con Suchard fue breve y precisa, tal como esperaba Peter. Sin embargo, no estaba preparado para lo que Suchard tenía que decirle sobre el producto. Una vez finalizadas todas las pruebas menos una, Suchard afirmaba que Vicotec era potencialmente peligroso y posiblemente letal si se utilizaba mal, a consecuencia de los defectos que presentaba. Por lo tanto, aún faltaban años para que pudiera comercializarse, si es que algún día llegaba a hacerse.

Peter se quedó sentado, mirándolo fijamente mientras escuchaba. No podía creerlo. Sin embargo, había adquirido los suficientes conocimientos sobre las propiedades químicas del producto para formular unas cuantas preguntas muy oportunas y técnicas. Suchard sólo disponía de respuestas para algunas de ellas, pero tenía la impresión general de que Vicotec era peligroso y de que debía dejarse de lado. Si querían correr el riesgo de seguir desarrollándolo durante los años siguientes, tal vez los problemas pudieran resolverse, pero no existían garantías de que consiguieran hacerlo seguro y útil a la vez. Y si no lo conseguían, sería un producto asesino.

—¿Está seguro de que no hay ningún error en sus procedimientos, Paul-Louis? —preguntó Peter a la desesperada, rogando que sus pruebas hubiesen fallado.

—Es prácticamente imposible —contestó Suchard con su marcado acento francés y su habitual aire taciturno. Era él quien solía descubrir los defectos de sus productos, el portador de malas noticias. Era su vocación—. Falta una única prueba por completar, que podría alterar algunos resultados, pero no cambiarlos completamente. —Explicó que esa prueba podría aportar cierto optimismo con respecto al tiempo que se necesitaría para unas pruebas adicionales, pero seguirían siendo precisos varios años para que pudiera presentarse el producto a la FDA.

—¿Cuándo estará terminada esa prueba? —preguntó Peter, abatido. Le parecía que aquél era el peor día de su vida, peor incluso que los de Vietnam. Cuatro años de investigaciones estaban a punto de irse al garete.

—Necesitamos unos cuantos días más, pero creo que la prueba no es más que una formalidad. Creo que en realidad ya sabemos lo que Vicotec puede y no puede hacer. Conocemos la mayoría de sus defectos.

—¿Cree que podrá salvarse? —inquirió Peter.

—Personalmente creo que sí, pero algunos miembros de mi equipo opinan lo contrario. Creen que será siempre demasiado peligroso y delicado para dejarlo en manos de una persona sin prepara-

aún no había podido confirmarla a causa de su apretada agenda.

—Me he traído algo de trabajo —comentó Peter, mirando hacia el balcón iluminado por el sol sin el menor deseo de trabajar—. He pensado que podría hacer algo en mi ordenador y enviároslo a la oficina. Con eso y una visita turística por la ciudad me mantendré ocupado.

—No olvides comprar champán —dijo Frank jovialmente—; tú y Suchard vais a tener mucho que celebrar. Y lo celebraremos aún más cuando vuelvas. ¿Quieres que llame hoy al *Times*?

Peter se puso en pie, desnudo como estaba, sacudiendo la cabeza con nerviosismo.

—Yo esperaría. Creo que es importante tener los resultados de las últimas pruebas, al menos para garantizar nuestra credibilidad —dijo con tono sereno, preguntándose si le podría ver alguien por la ventana. Se enrolló la sábana en torno a la cintura. El albornoz del hotel estaba demasiado lejos, sobre una silla al otro lado del dormitorio.

—No seas tan perfeccionista, Peter —le regañó Frank—. Las pruebas serán buenas. Llámame tan pronto sepas algo —dijo, impaciente de pronto por marcharse a la oficina.

—Lo haré. Gracias por llamar, Frank. Dale un beso a Kate por si acaso no hablo con ella antes de que tú la veas. Ayer no la encontré en casa y ahora es demasiado temprano para llamarla.

—Es una chica muy ocupada —dijo su padre orgullosamente, pues él aún la consideraba una adolescente. En realidad seguía siendo tan esbelta, rubia y atlética como veinticuatro años antes, cuando

Peter la había conocido—. Le daré un beso de tu parte —le aseguró Frank y colgó.

Peter se quedó mirando por la ventana. ¿Qué iba a decirle si todos sus esfuerzos resultaban en vano? ¿Cómo iban a justificar los millones invertidos, los miles de millones que no ganarían, al menos hasta que gastaran aún más para corregir los errores? Peter se preguntó si Frank estaría dispuesto a invertir más dinero, si querría seguir adelante con el proyecto Vicotec. Como presidente de la junta la decisión le correspondía a él, pero Peter lucharía por seguir a toda costa.

Llamó al servicio de habitaciones para pedir café y cruasanes y luego cogió el teléfono para llamar a Suchard. Se suponía que debía llamarle él, pero pudo más su ansiedad. Le dijeron que el doctor Suchard se hallaba en los laboratorios y que no podían interrumpirle, porque se celebraba una reunión muy importante. Peter se disculpó y se dispuso a seguir esperando a pesar de la insoportable tensión.

Se puso el albornoz antes de que llegara el desayuno y pensó en bajar a nadar otra vez, pero le pareció demasiado decadente en horas de trabajo. Acabó sacando su ordenador portátil y se sentó a trabajar mientras desayunaba. Sin embargo, le resultaba imposible concentrarse, así que a mediodía se duchó y comprendió que no podía seguir trabajando.

Tardó largo rato en decidir qué hacer. Le apetecía algo frívolo y muy parisino: un paseo por el Sena, o por el distrito séptimo, a lo largo de la rue Bac, o sentarse en una terraza del Barrio Latino a tomar algo y ver pasar la gente. Cualquier cosa menos trabajar y pensar en Vicotec.

Se puso un traje oscuro y una de sus camisas blancas a medida, pero luego se preguntó para qué. Lo cierto era que no llevaba otro tipo de ropa, así que salió del hotel, llamó un taxi y pidió al taxista que le llevara al Bois de Boulogne. Había olvidado lo mucho que le gustaba sentarse allí, en un banco, durante horas, tomar un helado y contemplar a los niños. Y mientras así lo hacía, perdido en sus pensamientos, parecía muy lejos de la enigmática mujer del senador Thatcher.

bía ocurrido a su hermano seis años antes, sentía una particular animadversión hacia el terrorismo. Dio un pequeño pero enardecido discurso, al término del cual recibió los aplausos de la gente que lo rodeaba. Después el equipo de la CNN se apresuró a entrevistar a las modelos. Curiosamente no habían pedido hablar con la esposa del senador. Las modelos pensaban que todo era muy divertido y que noches como aquéllas debían repetirse más a menudo. Se alojaban en el Ritz tres días durante un rodaje para Harper's Bazaar y ambas afirmaban que les encantaba París. Luego cantaron una cancioncilla e hicieron un numerito de claqué. Los huéspedes del hotel se lo estaban pasando bien a pesar del peligro que representaba la amenaza de bomba.

Pero Peter se hallaba lejos de aquel bullicio, siguiendo los pasos de la esposa del senador. Olivia parecía saber cuál era su destino, puesto que no vacilaba en ningún momento. Caminaba a buen paso y él tenía que apresurarse para no perderla de vista. Peter no tenía la menor idea de qué podía decirle si ella se detenía de pronto, se daba la vuelta y le preguntaba por qué la seguía, pero se decía a sí mismo que debía hacerlo, que debía asegurarse de que no le pasaba nada, sola y a aquellas horas.

Peter se sorprendió al ver que Olivia se encaminaba a la place de la Concorde y luego se quedaba allí, sonriendo para sí, contemplando las fuentes. En la plaza había un viejo vagabundo sentado, un par de parejas besándose y un joven que paseaba, pero ninguno de ellos le prestó atención. A Peter le pareció que ella estaba tan feliz de encontrarse allí, que sintió deseos de acercarse, rodearle los hombros con el brazo y mirar las fuentes con ella. Sin embargo, se mantuvo a una distancia prudente, sonriendo. De repente, para su asombro, Olivia lo miró con ojos inquisitivos. Parecía saber que él se hallaba allí y el motivo, y creer que le debía una explicación. No parecía enfadada ni asustada. Peter vio entonces, para su turbación, que Olivia se acercaba a él decididamente. Sabía quién era, había reconocido al hombre de la piscina de la noche anterior. Peter se ruborizó en la oscuridad.

—¿Es usted fotógrafo? —preguntó ella. Tenía un aspecto muy vulnerable y alicaído. Le había ocurrido infinidad de veces. Los fotógrafos la seguían a todas partes y se sentían satisfechos cada vez que le robaban una parcela de intimidad. Estaba acostumbrada, lo aceptaba como parte de su vida, pero no le gustaba ni le gustaría jamás.

Peter negó con la cabeza al comprender cómo se sentía ella, lamentando haberla seguido.

—No, no lo soy... Lo siento... yo... sólo quería asegurarme de que usted... Verá, es muy tarde y... —De pronto, al mirarla, Peter se sintió menos turbado y más protector. Nunca había conocido a una mujer tan delicada y fascinante—. Quiero decir que no debería andar sola por la calle a estas horas, es peligroso.

Olivia miró al viejo vagabundo y se encogió de hombros.

—¿Por qué me sigue? —preguntó abiertamente con una mirada tan dulce que Peter se estremeció.

—No... no lo sé —contestó—. Por curiosidad... caballerosidad, fascinación, estupidez... —Quería decirle que se sentía abrumado por su belleza, pero no podía—. Procuraba asegurarme de que no le pasaba nada. —Entonces decidió ser franco también él. Las circunstancias no eran normales y ella parecía una persona con la que se podía hablar sin rodeos—. Se ha ido sin que la vieran, ¿verdad? Ellos no saben que usted se ha ido. —Tal vez ahora sí lo supieran y la estuvieran buscando, pero a ella no parecía importarle. Tenía todo el aspecto de una niña traviesa.

—Seguramente ni se darán cuenta —contestó con divertida malicia—. Tenía que marcharme. Algunas veces resulta agobiante ser... yo misma. —Miró a Peter; no estaba segura de que la hubiera reconocido, y si no lo había hecho, lo prefería así.

—En ocasiones todos nos sentimos agobiados por nosotros mismos —replicó Peter filosóficamente, porque también él había tenido esa sensación alguna vez. Volvió a mirarla con simpatía. No veía mal alguno en hacer algún avance, puesto que ya habían llegado tan lejos—. ¿Le apetece una taza de café? —El truco era viejo, y ambos sonrieron. Olivia dudó antes de decidir si hablaba en serio o si se trataba de una broma. Peter comprendió su vacilación y sonrió con cordialidad—. Era un ofrecimiento sincero. Creo que soy digno de confianza, al menos para tomar una taza de café. Le sugeriría mi hotel, pero en estos momentos tienen un pequeño problema.

Olivia rió y pareció relajarse. Conocía a Peter del hotel, le había visto en el ascensor y en la piscina. Peter llevaba un traje caro y zapatos de calidad. Además, algo en sus ojos le decía que era un hombre respetable y bondadoso, así que accedió.

—Me gustaría tomar una taza de café, pero no en el hotel. Hay demasiado ajetreo esta noche para mi gusto. ¿Qué le parece Montmartre? —sugirió.

—Buena idea. ¿Tomamos un taxi?

Olivia asintió. Caminaron hasta una parada de taxis, donde él la ayudó a subirse a uno. Olivia dio la dirección de un bar que conocía, que estaba abierto hasta muy tarde y tenía mesas en la acera. La noche era cálida y ninguno de los dos tenía ganas de volver al hotel, aunque se sentían algo cohibidos el uno con el otro. Fue ella la que rompió el hielo con tono burlón:

—¿Lo hace muy a menudo, esto de seguir mujeres? —Todo aquello empezaba a parecerle divertido.

Peter tuvo la cortesía de ruborizarse una vez más y sacudió la cabeza.

—Jamás lo había hecho en mi vida. Es la primera vez y aún no estoy seguro del porqué. —Mientras hablaba sintió un fuerte impulso de protegerla, pero no dijo nada.

—En realidad me alegro de que lo hiciera —dijo ella, sorprendentemente a gusto con él tras el primer momento.

Por fin llegaron al bar y se sentaron en una mesa de la terraza, donde les sirvieron dos tazas de café humeante.

—Ahora hábleme de usted —pidió Olivia, apoyando el mentón en las manos, lo que le dio un increíble parecido con Audrey Hepburn.

—No hay mucho que contar —contestó Peter, todavía un poco azorado, pero presa de una gran excitación.

3

Cuando Peter abandonó el Bois de Boulogne por la tarde, cogió un taxi en dirección al Louvre y paseó brevemente por el interior del museo. Las estatuas del jardín eran tan hermosas que se detuvo ante ellas durante largo rato como hipnotizado. No le importó siquiera la pirámide de cristal que habían instalado justo delante del museo y que tanta polémica había causado entre parisinos y extranjeros. Después volvió al hotel en taxi. Volvía a sentirse esperanzado. Aunque las pruebas no fueran positivas, conseguirían salvar lo que ya tenían y seguir adelante. No se acababa el mundo porque no pudieran presentar el producto a la FDA. Si no era al cabo de cinco años, sería de seis, pero lo lograrían.

Se sentía relajado al entrar en el Ritz. No había mensajes para él. Cogió un periódico, buscó a la joven encargada de las vitrinas y compró la pulsera de oro para Katie. Era una cadena gruesa con un gran corazón de oro colgante. A Katie le encantaban los corazones. Su padre siempre le hacía regalos carísimos, como collares de diamantes, y Peter solía reservarse los regalos que sabía que su mujer llevaría, o que tendrían un significado especial para ella.

Sin embargo, cuando llegó arriba y contempló la habitación vacía, sintió renovar su ansiedad. La tentación de llamar a Suchard de nuevo era grande, pero se resistió. Llamó a Katie, pero volvió a salir el contestador automático. Katie debía estar comiendo fuera y sólo Dios sabía dónde podían estar los chicos.

Una semana más y Katie se los llevaría a todos a Vineyard. Peter se quedaría en la ciudad trabajando, se reuniría con la familia los fines de semana, como siempre hacía, y luego pasaría sus vacaciones de agosto con ellos. Ese año Frank se tomaría todo el mes de julio y el de agosto, y Katie planeaba una gran barbacoa para la fiesta del 4 de Julio con la que inaugurar la temporada.

—Siento no encontrarte en casa —le dijo al contestador, sintiéndose como un tonto—. Es difícil llamar con la diferencia horaria. Lo intentaré más tarde... Adiós... ah, soy yo, Peter. —Colgó con una sonrisa, pensando en lo estúpido que era no ser capaz de hablar con un contestador automático.

Se tumbó en el sofá y miró en derredor mientras decidía dónde iba a cenar. Tenía la opción de ir a un restaurante cercano o bien quedarse en el comedor del hotel; también podía pedir que le subieran la cena a su habitación, ver la CNN y trabajar en el ordenador. Al final optó por lo último y más sencillo.

Se quitó la chaqueta y la corbata y se arremangó. Era una de esas personas que conservan el mismo aspecto impecable durante todo el día. Sus hijos solían burlarse de él, afirmando que había nacido con la corbata puesta, lo que hacía reír a Peter al recordar su juventud en Wisconsin. Le hubiera gustado que sus hijos conocieran aquello, pero después de la muerte de su hermana ya no tenía motivos para volver allí. Algunas veces pensaba en sus sobrinos, pero le parecía demasiado tarde para ponerse en contacto con ellos.

No había nada interesante en las noticias de aquella noche, de modo que se dedicó al trabajo. Le sorprendió la cena por su calidad, a pesar de que no le prestó mucha atención cuando el camarero la llevó y la dispuso pulcramente.

—*Vous devriez sortir, monsieur* —le dijo el camarero—. Debería salir, señor. —Hacía una noche preciosa de luna llena, pero Peter hizo un esfuerzo por seguir concentrado en su trabajo.

Se prometió tomar otro baño nocturno como recompensa cuando terminara, y pensaba en ello hacia las once de la noche cuando oyó un pitido persistente. En principio se preguntó si sería la radio o la televisión, pero se trataba de una especie de campanilla y de un aullido agudo. Finalmente, perplejo y curioso, se asomó al pasillo, donde el pitido era aún más fuerte. Otros huéspedes del hotel se habían asomado también al pasillo con expresión de alarma.

—*Feu?* ¿Fuego? —preguntó Peter a un botones que pasaba corriendo. Éste le miró inseguro, sin apenas detenerse para contestar.

—*C'est peut-être un incendie, monsieur* —dijo.

Nadie parecía estar seguro de que fuera la alarma de incendios, pero los pasillos se iban llenando de gente. De repente el personal al completo del hotel pareció ponerse en acción. Botones, camareros, camareras y la encargada de su planta, empleados de todo tipo iban de un lado a otro con rostro tranquilo pero con prisa, llamando a las puertas, haciendo sonar campanillas e instando a todo el mundo a salir lo antes posible y replicando, por ejemplo, «*Non, non, madame*, por favor, no se cambie de vestido, con ése va bien». La encargada de la planta entregaba batas, y los botones llevaban los bolsos y ayudaban a las mujeres con sus perritos. Aún no se había ofrecido ninguna explicación, pero les dijeron que debían evacuar el edificio inmediatamente.

Peter vaciló, preguntándose si llevarse el ordenador portátil, pero rápidamente decidió que no valía la pena, puesto que no guardaba en él secreto alguno de la compañía, sino sólo información y correspondencia. En cierto sentido le aliviaba dejarlo atrás. No se molestó en ponerse la chaqueta. Se metió la cartera y el pasaporte en el bolsillo del pantalón, cogió la llave de la habitación y se apresuró a bajar las escaleras entre unas señoras japonesas que se habían puesto apresuradamente sus trajes Gucci y Dior, una numerosa familia norteamericana, varias mujeres árabes profusamente enjoyadas, un puñado de alemanes que querían adelantar a todo el mundo y una manada de pequeños terriers Yorkshire y caniches franceses.

La escena tenía una maravillosa comicidad,

que hizo sonreír a Peter mientras bajaba tranquilamente.

A lo largo del descenso se encontraron con miembros del personal del hotel que los ayudaban, los tranquilizaban, saludaban a todo el mundo y se disculpaban por las molestias. Sin embargo, ninguno de ellos mencionaba exactamente el motivo de la alarma. Una vez abajo, atravesaron el vestíbulo y salieron a la calle. Peter vio que había tropas de la CRS (equivalente de los SWAT norteamericanos o los GEO españoles), armadas y equipadas alrededor del hotel. Al ver después que el rey Khaled y su séquito partía rápidamente en coches oficiales, Peter pensó en una amenaza de bomba. Vio también a dos conocidas actrices francesas con amigos, a un nutrido grupo de señores de cierta edad con jovencitas, y a Clint Eastwood en tejanos y camiseta, que acababa de llegar de practicar el tiro al blanco. La evacuación del hotel se completó hacia la medianoche. Su personal había realizado un extraordinario trabajo por su rapidez y seguridad, y ahora disponía unas mesas a cierta distancia del hotel, donde servían pastas y café para quien quisiera tomar algo. También había bebidas más fuertes. Habría sido divertido de no ser por la hora intempestiva y por la incierta amenaza de peligro.

—Me he quedado sin mi baño de esta noche —dijo Peter a Clint Eastwood, mientras ambos miraban hacia el hotel en busca de humo, pero no lo había. Los CRS habían entrado diez minutos antes en el edificio, al parecer por una amenaza de bomba.

—Y yo sin dormir —repuso el actor, pesaroso—. Mañana tengo que levantarme a las cuatro. Esto podría llevar mucho tiempo, si están buscando una bomba —agregó, pensando en irse a dormir al plató de rodaje.

Los otros huéspedes, que no tenían esa opción, seguían en la calle, asombrados aún y rodeados de sus mascotas y sus amigos.

Peter contempló a un nuevo grupo de CRS que entraba en el hotel, luego obedeció la orden de alejarse aún más, se dio la vuelta y de repente la vio. Primero divisó a Andy Thatcher, rodeado como de costumbre de parásitos y guardaespaldas y con expresión despreocupada. Sostenía una animada conversación con quienes le rodeaban, varios hombres y una mujer, que parecía un peso pesado en política y fumaba sin parar, interesando a Thatcher, al parecer, en lo que decía. Olivia estaba más allá del grupo, sin que nadie le prestara atención, tomando un café. Llevaba tejanos y una camiseta blanca, lo que le daba aspecto de adolescente. Sus ojos parecían asimilar la escena mientras su marido y los de su grupo se movían lentamente hacia el hotel. Thatcher y uno de sus hombres hablaron con varios agentes CRS, que se limitaron a negar con la cabeza. Aún no habían encontrado nada. Alguien llegó con unas sillas plegables. Los camareros las ofrecieron a los huéspedes junto con unas copas de vino, que mantuvieron el buen humor entre ellos, a pesar de las molestias. Lentamente aquello se iba convirtiendo en una pequeña fiesta al aire libre en la place Vendôme.

Peter no apartaba los ojos de Olivia Thatcher, que se había alejado aún más de su grupo, olvidada incluso por los guardaespaldas. El senador, que se había mantenido de espaldas a ella durante todo el tiempo y no le había hablado ni una sola vez, se sentó en una de las sillas, acompañado por su séquito, mientras su mujer iba en busca de otra taza de café. No parecía importarle el desinterés que mostraban por ella.

Olivia le ofreció una silla a una anciana norteamericana y palmeó a su perrito faldero. Después de terminar el café, dejó la taza sobre una mesa plegable. Un camarero le ofreció otra, pero ella la rechazó sacudiendo la cabeza cortésmente. Había algo asombrosamente afable y luminoso en ella, como si en realidad fuera un ángel bajado a la tierra. Era demasiado perfecta, demasiado amable y misteriosa, y se inquietaba demasiado cuando la gente se acercaba a ella. Era evidente que se sentía incómoda cuando la contemplaban de cerca y parecía más feliz si no le prestaban atención. Vestía con tanta sencillez y se mostraba tan modesta, que ni siquiera los norteamericanos que había en la calle la reconocieron, a pesar de que la habían visto cientos de veces en periódicos y revistas de su país. Había sido el sueño de los periodistas durante años, sobre todo durante la enfermedad de su hijo y su trágico desenlace.

Peter notó que ella se alejaba cada vez más, de modo que tuvo que estirar el cuello para verla. Se preguntó si tendría algún motivo concreto para comportarse así. Estaba tan lejos de su marido y los guardaespaldas que tendrían que levantarse y buscarla si querían encontrarla. Algunos huéspedes llegaban al hotel de restaurantes o clubes como

Regine o Chez Castel, o tal vez de cenar con amigos o del teatro. También se habían acercado numerosos curiosos. Los comentarios que se oían culpaban de todo al rey Khaled, pero también se alojaba en el hotel un importante ministro británico y se decía que detrás del incidente podía estar el IRA. En todo caso la policía había ordenado que nadie volviera a entrar en el hotel hasta que se hallara la supuesta bomba.

Pasaba de la medianoche. Clint Eastwood no quería perder sus pocas horas de sueño en la calle y se había ido a dormir a su remolque del plató. Peter miró alrededor y vio que Olivia Thatcher se alejaba lentamente y se dirigía hacia el otro lado de la plaza; de repente, echó a andar rápidamente hacia la esquina. Peter sintió curiosidad por saber a dónde iría. Intentó descubrir si la seguía algún guardaespaldas, pero comprendió que se iba sola, sin volver la vista atrás. Sin pensárselo dos veces, Peter se separó de la multitud y empezó a seguirla. Había tanto bullicio frente al hotel y en la plaza, que nadie parecía darse cuenta de sus movimientos. Lo que Peter no vio fue que, durante unos momentos, un hombre lo siguió a él, pero la agitación aumentó en la plaza y el hombre perdió interés, apresurándose a volver al meollo de la acción, donde dos conocidas modelos habían encendido una cadena musical y se habían puesto a bailar. La CNN había mandado un equipo móvil, que pretendía entrevistar al senador Thatcher para pedirle su opinión sobre el terrorismo en el extranjero y en su propio país, opinión que él ofreció en términos categóricos. Teniendo en cuenta lo que le ha-

—Estoy segura de que sí. ¿De dónde es? ¿De Nueva York?

—Más o menos. Trabajo en Nueva York y vivo en Greenwich.

—Y está casado y tiene dos hijos —añadió, sonriendo melancólicamente. Suponía que la vida de Peter era feliz y corriente, muy diferente a la suya.

—Tres hijos —corrigió él—. Y sí, estoy casado. —Al pensar en sus hijos, Peter se sintió culpable. Sabía, como el resto del mundo, que el único hijo de Olivia había muerto de cáncer y que no había tenido más hijos.

—Yo vivo en Washington —dijo ella—, la mayor parte del tiempo. —No le dijo si tenía hijos o no y naturalmente él no se lo preguntó.

—¿Le gusta? —inquirió Peter.

Olivia se encogió de hombros y bebió un sorbo de café.

—No mucho. Cuando era joven lo detestaba. Supongo que si lo pensara ahora aún lo odiaría más. No es la ciudad lo que me disgusta, sino la gente y lo que hacen allí con su vida y con la de los demás. Odio la política y todo lo que representa. —Lo dijo con vehemencia y Peter comprendió que era sincera, pero con un hermano, un padre y un marido metidos en política, pocas esperanzas podía tener de escapar a sus garras. Olivia lo miró. Aún no había dicho cómo se llamaba y le hubiera gustado creer que él no lo sabía, pero veía en los ojos de Peter que éste conocía su secreto. Tal vez no fuera ése el motivo por el que se hallaba allí con ella, tomando un café a las dos de la madrugada, pero desde luego lo sabía—. Supongo que no sería realista creer que no sabe quién soy... ¿o me equivoco? —preguntó al fin.

Peter asintió, sintiendo compasión. El anonimato hubiera sido agradable por una vez para la mujer del senador, pero la vida no se lo permitía.

—Sí, lo sé, y no sería realista creer que la gente no la reconoce. Pero eso no tiene por qué cambiar las cosas. Tiene usted derecho a odiar la política, o cualquier otra cosa, o ir a pasear a la place de la Concorde, o decirle lo que le apetezca a un amigo. Todo el mundo necesita hacerlo de vez en cuando.

—Gracias —musitó ella—. Antes ha dicho usted que todos nos sentimos agobiados por nosotros mismos alguna vez. ¿A usted también le ocurre?

—A veces —contestó él—. Siempre hay momentos difíciles. Soy responsable de una empresa y algunas veces desearía que nadie lo supiera y que me permitieran hacer lo que me diera la gana. Igual que ahora. —Por un instante, Peter deseó ser libre de nuevo, olvidar que estaba casado. Pero no podía engañar a Katie, jamás lo había hecho y no pretendía empezar ahora, ni siquiera con Olivia Thatcher, lo que ésta, por otra parte, tampoco pensaba—. Creo que todos nos cansamos de nuestra vida en algún momento. Seguramente yo no estoy tan harto como usted —dijo—, pero creo que todos, cada uno a su manera, quisiéramos irnos de la place Vendôme y desaparecer durante un tiempo, como Agatha Christie.

—Siempre me ha intrigado su historia —dijo Olivia con una tímida sonrisa—, y siempre he querido hacer algo igual. —Le impresionó que Peter conociera la anécdota. A ella siempre le había fas-

ción. En cualquier caso no conseguirá lo que ustedes pretendían. Todavía no, y quizá no lo haga nunca.

Lo que se pretendía con Vicotec era obtener una forma alternativa de quimioterapia más fácil de administrar, que pudiera tomar la gente menos preparada de zonas más remotas, que no dispusiera de atención médica adecuada. Suchard le estaba diciendo que eso no sería posible y sentía lástima de Peter al ver su reacción.

—Lo siento —añadió Suchard en voz baja—. Creo que al final acabará ganando esta batalla, pero ha de tener paciencia.

Peter notó que le afloraban lágrimas a los ojos. La reunión en la que tantas esperanzas había depositado se había convertido en una pesadilla.

—¿Cuándo podrá pasarnos los resultados, Paul-Louis? —preguntó, temiendo el momento en que tendría que volver a Nueva York y contárselo a Frank, sobre todo si no disponía de toda la información.

—Dentro de dos o tres días, quizá cuatro. Aún no estoy seguro, pero sin duda antes de que acabe la semana.

—Y si los resultados son buenos, ¿no cree que podrían hacerle cambiar de opinión? —Peter sabía que Suchard era un hombre muy conservador y tal vez por ese motivo se mostrara excesivamente prudente. Le resultaba difícil comprender por qué sus pruebas eran tan diametralmente opuestas a todas las demás. No obstante, Suchard no se había equivocado nunca hasta entonces, y no podían pasar por alto su dictamen.

—Podría modificarla en cierta medida, pero no del todo. Tal vez si los próximos resultados son óptimos sólo se necesitará un año más de investigación.

—¿Y qué me dice de seis meses? Todos nuestros laboratorios y capacidad de investigación pueden concentrarse en este proyecto. —Podría valer la pena teniendo en cuenta los beneficios previstos. A Frank Donovan le gustaba oír hablar de beneficios, no de pruebas.

—Quizá. Sería un compromiso muy importante, si es que están dispuestos a aceptarlo.

—Todo depende del señor Donovan, por supuesto. Tendré que hablar con él. —Tenía mucho que discutir con él, pero no quería hacerlo por teléfono—. Quiero esperar a que termine la última prueba, Paul-Louis. Y me gustaría que todo esto fuera estrictamente confidencial hasta entonces, si no le importa.

—En absoluto.

Convinieron en reunirse de nuevo tan pronto como se hubiera completado la prueba. Suchard le telefonearía para comunicárselo.

Peter se sentía exhausto cuando cogió un taxi para volver al hotel, pero se bajó unas manzanas antes y siguió a pie hasta la place Vendôme. Su tristeza era enorme. Habían trabajado duramente y sin embargo todo había salido mal. Tenía una oportunidad para ayudar a miles de seres humanos y había acabado con un asesino entre las manos. Ni siquiera el murmullo de los huéspedes en su continuo ir y venir, o en el bar, consiguió animarle cuando entró en el hotel. Atravesó el vestíbulo sin

bargo tan distante, como si se hallara en otro planeta.

Siguieron nadando en silencio en extremos opuestos de la piscina durante un rato, y luego se cruzaron varias veces mientras hacían un largo tras otro, afanándose por disipar sus demonios particulares. De repente, como si lo hubieran previsto así, se detuvieron en el mismo lado. A ambos les faltaba el aliento. Sin saber qué hacer, pero incapaz de apartar los ojos de ella, Peter le sonrió, y ella le devolvió la sonrisa. Pero, sin darle tiempo a decir nada, la mujer se alejó nadando. Peter sospechó que estaba acostumbrada a encontrarse con gente que quería indagar en su vida, a lo que no tenían ningún derecho. Le sorprendió que no estuviera acompañada por el guardaespaldas y se preguntó si alguien sabría que se encontraba allí, dado que no parecían hacerle mucho caso, ni siquiera su marido. Y ella parecía satisfecha de que la dejaran en su propio mundo.

Sin intención deliberada, Peter echó a nadar lentamente hacia el otro extremo de la piscina, donde había emergido ella. No sabía qué haría si ella le hablaba, pero no creía que lo hiciera, porque era más bien un símbolo que una persona real y, por tanto, debía seguir siendo un misterio. Como si quisiera demostrarle eso mismo, la mujer salió grácilmente de la piscina justo cuando Peter se acercaba a ella, se envolvió en una toalla con un rápido ademán y se marchó.

Peter volvió a su habitación al poco rato, pensando en llamar a Katie de nuevo. Probablemente estaría cenando con Patrick a esas horas. Sin embargo, descubrió que ya no deseaba hablar con ella y fingir que todo iba bien, porque tampoco podía contarle lo ocurrido con Suchard. Se acostó, pues, sintiéndose extrañamente solitario, en una especie de purgatorio de lo que debería haber sido el paraíso. Al menos físicamente se sentía mejor después de haber nadado un rato y de haber visto de nuevo a Olivia Thatcher. También ella le parecía desesperadamente sola. No sabía qué le hacía pensar eso, si lo que había leído sobre ella o lo que le habían transmitido aquellos ojos suyos de terciopelo castaño que parecían llenos de secretos. Era como una mariposa rara a la que ansiaba atrapar, pero, al igual que todas las mariposas de esa clase, sospechaba que si la tocaba sus alas se convertirían en polvo.

Soñó con mariposas al dormirse, y con una mujer que no le quitaba ojo desde detrás de los árboles en una exuberante selva tropical. Él se extraviaba, pero cuando empezaba a dominarle el pánico y se ponía a gritar, aparecía la mujer y le conducía en silencio a un lugar seguro. Le pareció que esa mujer era Olivia.

Cuando despertó a la mañana siguiente, volvió a pensar en ella. El hecho de haberse pasado la noche soñando con ella le daba la impresión de que la conocía muy bien.

Sonó el teléfono. Era Frank. En París eran las diez de la mañana, pero en Nueva York las cuatro de la madrugada. Quería saber cómo le había ido con Suchard.

—¿Cómo sabes que lo vi ayer? —quiso saber Peter, intentando acabar de despertarse. Su suegro se levantaba a las cuatro de la mañana todos los días y acudía a su despacho a las siete. Ni siquiera estando próxima su jubilación (eso afirmaba él) había cambiado su rutina.

—Sé que te fuiste de Ginebra a mediodía. Supuse que no querías perder el tiempo. ¿Qué noticias hay? —El tono de Frank era optimista. Peter recordó con demasiada claridad el impacto que había sufrido al hablar con Suchard, y deseó que su suegro no le hubiera llamado.

—En realidad aún no han concluido las pruebas —contestó Peter, reticente—. Me quedaré aquí unos días hasta que las terminen.

Frank se echó a reír, crispando los nervios de Peter y haciéndole temer que le dijera alguna barbaridad. Pero Frank le comprendía. Habían invertido mucho tiempo y dinero en Vicotec y Frank sabía que Peter había puesto la ilusión de toda su vida. Al menos Suchard no había dicho que el proyecto estuviera totalmente muerto, se dijo Peter.

—No puedes dejar a tu criatura sola ni por un momento, ¿eh, hijo? —comentó Frank—. Bueno, diviértete en París. Mantendremos el fuerte por ti. No hay nada urgente en la oficina. Esta noche voy a llevar a Katie a cenar al Twenty One. Si a ella no le importa que te quedes ahí, creo que podré arreglármelas sin ti.

—Gracias, Frank. Me gustaría quedarme para comentar los resultados con Suchard cuando termine. —No le pareció justo mantener a Frank en una total ignorancia—. Al parecer se han presentado algunos fallos.

—Nada serio, estoy seguro —afirmó Frank. Los resultados de las pruebas realizadas en Alemania y Suiza habían sido demasiado buenas para que se preocupara. Peter también lo había creído hasta el momento de hablar con Suchard. Sólo le quedaba esperar que estuviera equivocado—. ¿Y qué vas a hacer mientras esperas?

Frank parecía de buen humor. Le gustaba su yerno, siempre le había caído bien y había demostrado ser un excelente marido para Katie, a la que dejaba hacer cuanto quería, respetando la relación que mantenía con su padre y las decisiones que ellos tomaban juntos. Además, era un buen presidente para Wilson-Donovan y un buen padre para sus hijos. Sólo le disgustaba de él su testarudez en ciertos asuntos familiares que Frank consideraba en realidad cosa suya. Debía reconocer, sin embargo, que las ideas de Peter sobre mercadotecnia habían hecho historia y que la Wilson-Donovan era la empresa farmacéutica más importante del país gracias a él. Frank había convertido el negocio familiar en una gigantesca corporación, pero había sido Peter quien más había contribuido a hacer de ella un imperio internacional. El *New York Times* hablaba de él constantemente y el *Wall Street Journal* le llamaba el chico maravillas del mundo farmacéutico. De hecho, no hacía mucho que le habían pedido una entrevista para hablar de Vicotec, pero Peter había insistido en que aún no estaban preparados. También el Congreso había requerido su presencia ante un subcomité para hablar sobre ética y economía en el precio de los productos farmacéuticos, pero

fijarse en nadie y subió a su habitación por las escaleras. Sabía que debía llamar a su suegro, pero quería esperar hasta el último momento, cuando tuviera toda la información posible. Le hubiera gustado hablar con Katie, pero también sabía que todo cuanto le dijera habría llegado a oídos de su suegro antes del día siguiente. Aquél era uno de los puntos débiles de su relación, que Peter no había conseguido cambiar a pesar de tantos años de matrimonio. En realidad se había resignado a no comunicarle nada a su esposa que no quisiera compartir también con su suegro.

Esa noche Peter se quedó en su habitación con la mirada perdida, incapaz de asimilar lo sucedido. De pie en el balcón, intentó olvidar la posibilidad del fracaso más absoluto. Aún le quedaban esperanzas, por pocas que fueran, pero no podría presentar su nuevo producto a la FDA en septiembre. De repente tenía demasiadas cosas en las que pensar y por fin, a las diez, decidió llamar a Katie. Tal vez se sintiera mejor sólo con oír su voz.

Marcó el número de su casa, pero no obtuvo respuesta. Eran las seis de la tarde allí y ni siquiera Patrick había vuelto a casa. Peter supuso que Katie habría ido a la ciudad y colgó el auricular con una sensación de abatimiento. Su sueño acababa de hacerse pedazos y ni siquiera tenía con quién hablar.

Volvió al balcón durante un rato y pensó en dar un paseo, pero de repente París había perdido su atractivo. Por fin, decidió hacer algo de ejercicio para relajarse. Echó un vistazo a la tarjeta que había sobre la mesa de su habitación y luego bajó rápidamente las escaleras que conducían al gimnasio que había dos pisos más abajo. Afortunadamente seguía abierto. Había cogido el bañador por si tenía oportunidad de usarlo. Le gustaba usar la piscina del Ritz. No sabía cuánto tiempo dispondría para el ocio al llegar a París, pero la mala noticia que acababa de darle Suchard le había dejado tiempo más que suficiente para hacer muchas cosas. El problema era que no se sentía con ánimos para ninguna de ellas.

El encargado de aquel turno, que estaba leyendo tranquilamente, pareció un poco sorprendido al verlo entrar. Pasaba ya de la medianoche y no quedaba nadie. El gimnasio estaba desierto y silencioso. No obstante, le entregó la llave de uno de los vestuarios. Después de cambiarse, Peter pasó por la zona de duchas y taquillas, contento de repente de hallarse allí. Unos cuantos largos era justamente lo que necesitaba para aclararse las ideas.

Se zambulló limpiamente en la piscina por el lado más hondo, y su cuerpo esbelto se deslizó por el agua. Buceó una considerable distancia bajo el agua hasta que por fin emergió a la superficie y se puso a nadar con brazadas largas y precisas. De pronto la vio al llegar por el otro lado. La mujer nadaba serenamente, su cuerpo era tan menudo y frágil que parecía perderse en la enorme piscina. Llevaba un sencillo traje de baño negro y, cuando emergió, sus cabellos de color castaño oscuro parecían negros. Se sobresaltó al ver a Peter, al que reconoció al instante, pero no dio muestras de ello. Volvió a sumergirse y siguió buceando mientras él la contemplaba. Peter pensó en lo extraño que resultaba tenerla tan cerca por tercera vez y sin em-

cinado el misterio de la desaparición de Agatha Christie. Habían encontrado el coche de la escritora empotrado contra un árbol, pero ella se había desvanecido. No reapareció hasta una semana más tarde, y entonces no quiso dar explicación alguna sobre su ausencia. En su época supuso una gran conmoción.

—Bueno, usted acaba de hacerlo, aunque sólo sea por unas horas. Ha dejado su vida atrás, igual que ella —dijo Peter sonriendo.

Olivia rió con los ojos llenos de picardía, encantada por aquella idea.

—Pero ella desapareció durante días y yo sólo durante unas horas. —Casi pareció decepcionada al decirlo.

—Probablemente la estarán buscando por todas partes. Seguramente creerán que la ha secuestrado el rey Khaled.

Olivia rió aún con mayores ganas y su rostro adquirió una expresión infantil. Minutos después Peter pidió dos emparedados, que comieron con fruición, de hambrientos que estaban.

—No creo que me estén buscando, ¿sabe? No estoy segura de que se dieran cuenta si algún día desapareciera de verdad, a menos que ese día quisieran que asistiera a un mitin o pronunciase un discurso de campaña en una asociación de mujeres. En momentos como ésos puedo ser muy útil. El resto del tiempo carezco de importancia. Soy como esos árboles artificiales que sacan en los decorados de teatro. No es necesario regarlos, sólo hay que ponerlos tras una ventana para producir un buen efecto.

—No debería hablar así —dijo Peter, aunque lo que había visto hasta entonces confirmaba esa visión—. ¿Es eso lo que piensa realmente sobre su vida?

—Más o menos —contestó ella, consciente de lo que arriesgaba si Peter resultaba ser un periodista y, peor aún, de algún diario sensacionalista. En cierto sentido casi no le importaba. También ella necesitaba confiar en alguien alguna vez y Peter le parecía un hombre atractivo e inusualmente comprensivo. Nunca había hablado con nadie como con él, y ahora no le apetecía dejarlo ni volver al hotel. Le hubiera gustado quedarse con él en Montmartre para siempre.

—¿Por qué se casó con él? —se atrevió a preguntar Peter, después de que ella hubiera apartado la vista para contemplar el cielo nocturno con aire pensativo.

—Entonces él era diferente, pero las cosas cambiaron muy deprisa. Nos ocurrieron muchas desgracias. Todo parecía ir bien al principio. Nos amábamos, nos preocupábamos el uno por el otro. Él me juró que jamás se dedicaría a la política. Yo ya había visto lo que la carrera de mi padre había hecho a nuestra familia, a mi madre sobre todo, pero Andy afirmaba que se limitaría a ser abogado. Íbamos a tener hijos, caballos y perros, y a vivir en una granja de Virginia. Y lo hicimos, durante seis meses, pero luego todo se fue al traste. Su hermano era el político de la familia, el que acabaría siendo presidente, y yo hubiera sido feliz de no ver jamás la Casa Blanca, excepto cuando iluminan el árbol de Navidad. Pero a Tom lo mataron seis meses después de mi matrimonio y los hombres de su campaña vinieron en busca de Andy. No sé qué le ocurrió, si porque habían matado a su hermano se sentía obligado a asumir su puesto y a «hacer algo importante por su país». Esta frase la he oído hasta la saciedad. Al final creo que él se enamoró de la idea. La ambición política es algo muy fuerte. He llegado a comprender que te exige más que cualquier hijo y que te ofrece más excitación y pasión que cualquier mujer. Devora a cuantos se le acercan. No se puede amar la política y no sucumbir a ella, sencillamente no es posible. Yo lo sé. Al fin devora cuanto tienes en tu interior, todo el amor, la bondad y la decencia, devora todo lo que fuiste en otro tiempo y deja a un político en su lugar. No sales ganando mucho con el cambio. Bien, eso fue lo que sucedió. Andy se metió en política y luego, para compensarme y porque él decía que lo deseaba, tuvimos un hijo. Pero en realidad él no lo quería. Fue durante una de sus campañas y Andy ni siquiera estuvo presente cuando Alex nació. Ni cuando murió. —Su rostro pareció petrificarse al pronunciar esta frase—. Cosas como ésas lo cambian todo... Tom... Alex... la política. La mayoría de la gente no sobrevive a ellas y nosotros no fuimos la excepción. No sé por qué llegué a creer que podríamos superarlo. En realidad era demasiado pedir. Creo que cuando Tom murió se llevó consigo una buena parte de lo que era Andy. Lo mismo me ocurrió a mí con Alex. En ocasiones en el juego de la vida te toca la peor mano. A veces no puedes ganar por mucho que te esfuerces o por mucho dinero que pongas sobre la mesa. Yo puse mucho en este juego. Hace seis años que estoy casada y no ha sido fácil.

—¿Por qué sigue entonces? —Era una conversación un tanto peculiar para ser dos extraños, y ambos estaban sorprendidos de la facilidad con que se producía.

—¿Cómo se va uno? ¿Qué se dice? ¿Siento que muriera tu hermano y que tu vida se convirtiera en un infierno... Siento que nuestro único hijo...? —Olivia no pudo continuar. Peter le cogió una mano y la sostuvo sin que ella se lo impidiera. La noche anterior eran dos desconocidos en una piscina y, de repente, un día después, en un café de Montmartre, ya eran casi amigos.

—¿Podría tener más hijos? —preguntó Peter, temiendo meter la pata.

Olivia sacudió la cabeza tristemente.

—Podría, pero no quiero. Ya no. No quiero volver a amar tanto a ningún ser humano, y tampoco quiero traer otro hijo a este mundo en que vivo, con Andy y con la política. Estuvo a punto de arruinar mi vida y la de mi hermano cuando yo era joven... y arruinó completamente la de mi madre. Ha sido una víctima constante durante cuarenta años, de los que ha detestado cada momento. Ella no lo admitiría nunca, pero así ha sido. Vive en el terror constante de cómo interpretarán los demás cada uno de sus movimientos, teme hacer, o ser o pensar cualquier cosa. Así es como a Andy le gustaría que fuera yo, pero yo no puedo hacerlo. —Mientras hablaba, el pánico pareció apoderarse de ella, y Peter comprendió al punto lo que pasaba por su mente.

—Yo no quiero hacerle daño, Olivia. Jamás repetiré a nadie nada de lo que me ha dicho. A nadie. Esto queda entre nosotros y Agatha Christie. —Sonrió. Olivia lo miró con expresión de recelo, no sabiendo si creerle o no. Pero en realidad, por extraño que pareciera, confiaba en él—. Esta noche no ha existido —continuó Peter—. Volveremos al hotel por separado y nadie sabrá nunca dónde hemos estado ni qué hemos hablado. No nos hemos conocido jamás.

—Eso me tranquiliza —dijo ella, aliviada y agradecida.

—Usted escribía, ¿verdad? —inquirió Peter, recordando algo que había leído sobre ella años atrás.

—Sí. Igual que mi madre. Ella tenía talento. Escribió una novela sobre Washington, cuando mi padre iniciaba su carrera, que sembró la discordia entre todos. La publicaron, pero él no le dejó volver a publicar nada más. Yo no tengo talento y jamás me han publicado nada, pero hace mucho que deseo escribir un libro sobre las personas y los compromisos, y lo que sucede cuando te comprometes demasiado o demasiado a menudo.

—¿Por qué no lo escribe?

Olivia soltó una carcajada y negó con la cabeza.

—¿Qué cree que ocurriría si lo hiciera? La prensa se volvería loca. Andy diría que había puesto en peligro su carrera. El libro no saldría jamás a la luz. Lo quemarían sus matones en algún almacén perdido. —Olivia era como el pájaro de la leyenda, encerrado en una jaula de oro, incapaz de hacer lo que realmente deseaba por miedo a perjudicar a su marido. Sin embargo, se había alejado de él, había desaparecido para sentarse a tomar un café con un extraño. Peter comprendió lo cerca que estaba Olivia de romper con su vida anterior. Era evidente que odiaba la política y el dolor que le había causado—. ¿Y usted? —Olivia volvió sus ojos castaños hacia Peter, curiosa por saber más de él. Se daba cuenta de que era un hombre que sabía escuchar y, mientras le sostenía la mano y la miraba, sentía que algo se agitaba en su interior. Era una parte de ella que creía muerta y, de repente, volvía a percibirla—. ¿Para qué ha venido a París, Peter?

Peter vaciló, aferrado aún a su mano y mirándola a los ojos. Olivia había confiado en él, y él necesitaba contárselo todo a alguien.

—He venido en representación de la empresa farmacéutica que dirijo. Hemos desarrollado un producto muy complejo durante cuatro años, lo que en este campo no es en realidad demasiado tiempo, pero a nosotros nos lo ha parecido, y hemos invertido montones de dinero. Es un producto que podría revolucionar la quimioterapia y significa mucho para mí. Parecía mi única contribución al mundo, algo importante que serviría para compensar todas las cosas frívolas y egoístas que he hecho. El producto había superado todas las pruebas realizadas en cada uno de los países en que trabajamos. Las últimas pruebas se llevan a cabo aquí y yo he venido para recoger los resultados. Teníamos la intención de que la FDA nos diera autorización para comercializarlo basándonos en resultados inequívocamente positivos. Nuestros laboratorios trabajan ya en la etapa definitiva, puesto que hasta ahora el producto no había presentado defecto alguno. Sin embargo, las pruebas que han hecho aquí demuestran todo lo contrario. Aún no están terminadas, pero el jefe de nuestros laboratorios me dijo que la droga podía tener graves inconvenientes. Para ser francos, en lugar de ser un don del cielo que salvaría a la raza humana, podría ser una maldición. No tendré toda la información hasta finales de esta semana, pero podría ser el final de un sueño, o el principio de largos años de nuevas investigaciones. Y, en este último caso, tendré que volver a casa y decirle al presidente de la empresa, que casualmente es mi suegro, que nuestro producto no podrá presentarse aún, y mucho menos ponerse a la venta. No va a ser fácil.

Olivia lo miró, asintiendo. Se la notaba impresionada.

—Desde luego. ¿Le ha contado ya lo que le dijeron ayer? —No era más que una pregunta retórica, pues estaba convencida de que ya lo había hecho. Por eso se asombró cuando él negó con la cabeza y cierto aire de culpabilidad.

—No quiero decir nada hasta que disponga de la información completa —respondió él, eludiendo afrontar directamente la pregunta. Olivia examinó sus ojos mientras hablaba.

—Menuda semana va a pasar mientras espera —dijo ella con tono compasivo, empezando a comprender cuánto significaba todo aquello para Peter—. ¿Qué ha dicho su mujer? —Lo preguntó suponiendo que otras personas disfrutaban de una relación conyugal que ella no tenía. Ignoraba el problema concreto de Peter con respecto a Katie y su obcecación en contárselo todo a su padre.

Así que volvió a asombrarse, y esta vez más aún, cuando él respondió en voz baja:

—No se lo he dicho.

—¿No? ¿Por qué?

—Es una larga historia. —Sonrió con embarazo. Olivia veía algo en sus ojos que hablaba de soledad y decepción, pero era tan sutil que se preguntó si él mismo se habría dado cuenta—. Ella está muy unida a su padre —prosiguió Peter lentamente, eligiendo con cuidado las palabras—. Su madre murió cuando ella era muy pequeña y creció sola con su padre. A él se lo cuenta absolutamente todo. —Volvió a mirar a Olivia y notó que ella le comprendía.

—¿Incluso lo que usted le cuenta confidencialmente? —Olivia parecía escandalizada por tamaña indiscreción.

—Incluso eso —replicó Peter con una sonrisa—. Kate no tiene secretos para su padre. —Sintió una punzada de rencor al decirlo. No estaba seguro de por qué ahora le molestaba más que durante los muchos años de matrimonio.

—Debe de resultar muy incómodo para usted —dijo Olivia, buscando sus ojos, intentando descubrir en ellos si Peter era desgraciado. Por su forma de hablar parecía sugerir que aquella lealtad extrema de Kate hacia su padre no sólo era aceptable para él, sino incluso normal. Sin embargo, sus ojos no expresaban lo mismo. Olivia se preguntó si aquélla sería la parte de su vida que le agobiaba a veces y a la que se había referido antes. Para Olivia la intimidad personal y la discreción eran muy importantes.

—Así son las cosas —dijo Peter sencillamente—. Hace mucho tiempo que lo acepté. No creo que ellos pretendan hacer ningún daño, pero para mí significa que no puedo contarle ciertas cosas a mi mujer.

Olivia decidió que era mejor dejar el tema. No quería poner a prueba las defensas de Peter ni herir sus sentimientos haciéndole ver lo incorrecto del comportamiento de su mujer. Al fin y al cabo, apenas se conocían.

—Ha debido de ser un día muy solitario para usted, preocupado por los resultados de las pruebas y sin tener a nadie con quien hablar. —Aquellas palabras llegaron directamente al corazón de Peter. Intercambiaron una mirada de simpatía.

—He intentado mantenerme ocupado, ya que no podía hablar con nadie —replicó él—. Fui al Bois de Boulogne y contemplé cómo jugaban los niños. Luego paseé por el Sena y visité el Louvre. Al volver al hotel estuve trabajando hasta que se disparó la alarma. —Sonrió—. Y desde entonces el día ha mejorado mucho.

Pronto amanecería. Ya eran casi las cinco de la mañana, y ambos sabían que debían volver al hotel. Siguieron charlando media hora más hasta que, por fin, abandonaron el café en busca de un taxi. Caminaron lentamente por las calles de Montmartre cogidos de la mano, como dos adolescentes en su primera cita, sintiéndose muy cómodos el uno con el otro.

—La vida tiene cosas extrañas, ¿verdad? —comentó ella, mirándolo con aire feliz, pensando en Agatha Christie y en su propia desaparición de aquella noche, quizá más atrevida incluso que la de la escritora—. Una cree que está sola y de repente aparece alguien de la nada, de forma completamente inesperada, y ya no estás sola. —Nunca había imaginado encontrar a alguien como Peter, que había llegado para llenar un vacío en su vida.

—Sería bueno recordarlo cuando las cosas se ponen difíciles, ¿no crees? Nunca sabemos lo que nos aguarda al doblar una esquina —replicó Peter, sonriente.

—En mi caso me temo que al doblar la esquina me encontraré con las elecciones presidenciales. O peor aún, con la bala de otro loco. —Era una idea horrible que le trajo a la memoria el recuerdo de su cuñado asesinado. Se notaba que en otro tiempo había amado a Andy Thatcher, y que aún le entristecía que su vida hubiera seguido tan desagradables vericuetos. En cierto modo Peter también sentía lástima de él, pero mucho más de Olivia. Jamás había visto a un marido que hiciera tan poco caso de su mujer como Andy Thatcher. Era una indiferencia total, como si ella no existiera. Tal vez Olivia tuviera razón, tal vez para su marido y sus asesores ella no fuera más que un motivo decorativo—. ¿Y tú? —inquirió Olivia—. ¿Tendrá graves repercusiones para ti si los resultados de las pruebas son malos? ¿Qué te harán en Nueva York?

—Me colgarán cabeza abajo y me despellejarán —contestó él alegremente, pero enseguida se puso serio—. No será fácil. Mi suegro iba a jubilarse este año, creo que en parte como voto de confianza hacia mí, pero no creo que lo haga si perdemos el producto. Creo que será muy duro, pero tendré que soportarlo. —No mencionó el hecho de que aquel producto era el sueño de toda su vida para salvar a la humanidad, y que eso significaba mucho más que los beneficios perdidos o la reacción de Frank Donovan.

—Ojalá yo tuviera tu valor —dijo Olivia con pesar, y su mirada era la misma que Peter había visto la primera vez, una mirada con una pena infinita.

—No se puede huir de las responsabilidades, Olivia.

La señora Thatcher no necesitaba que se lo recordaran. Su hijo de dos años había muerto en sus brazos. ¿Qué valor podía superar a ése?

—¿Y si la supervivencia personal depende de la huida? —preguntó, mirándolo muy seria.

—Hay que estar muy seguro para hacerlo —replicó él, rodeándole los hombros con el brazo y deseando ayudarla con todas sus fuerzas. Le hubiera gustado ser ese amigo que Olivia necesitaba desesperadamente, y no sólo durante unas horas, pero sabía que una vez en el hotel no podría volver a hablar con ella, y mucho menos verla.

—Creo que empiezo a estar muy segura —dijo Olivia en voz baja—. Pero todavía no del todo —confesó.

—¿Y adónde huirías? —preguntó Peter cuando por fin encontraron un taxi, subieron y pidieron que les llevara a la rue Saint Honoré. No querían llegar hasta la puerta misma del hotel, pues no sabían si los huéspedes seguirían en la plaza aguardando.

La pregunta de Peter era fácil de responder,

porque Olivia tenía un refugio seguro al que acudir.

—Hace mucho tiempo, durante el año que pasé estudiando aquí, solía ir a un pequeño pueblo de pescadores del sur de Francia. Lo visitaba los fines de semana. No es un sitio elegante ni está de moda, es muy modesto, pero es el único sitio al que podía ir para pensar cuando necesitaba reencontrarme conmigo misma. Pasé una semana allí cuando murió Alex, pero temía que los de la prensa acabaran por encontrarme y me fui antes de que lo hicieran. Detestaría perder la posibilidad de refugiarme allí. Me gustaría volver un día y quedarme una temporada, tal vez para escribir por fin el libro que tengo en la cabeza. Es un lugar mágico, Peter. Ojalá pudiera enseñártelo.

—Tal vez lo hagas algún día —replicó Peter rápidamente, atrayéndola hacia sí, pero era un gesto de consuelo y apoyo. No intentó propasarse en absoluto. Nada le hubiera gustado más que besarla, pero el respeto que debía a su mujer y a la propia Olivia se lo impedía. En ciertos aspectos Olivia seguía siendo una fantasía para él, que guardaría para siempre en su corazón después de aquella noche—. ¿Cómo se llama ese sitio? —preguntó.

—La Favière —contestó ella con una sonrisa, como si fuera un regalo, una contraseña—. Está cerca de Cap Benot. Deberías ir allí si alguna vez lo necesitas. Es lo mejor que podría darle a cualquier persona —susurró, apoyando la cabeza contra el hombro de Peter.

Permanecieron así durante el resto del trayecto. Peter quería decirle que siempre sería su amigo, que podía llamarle siempre que lo necesitara, pero no sabía cómo. En un instante de locura pensó incluso en decirle que la amaba. Se preguntó cuánto tiempo debía hacer desde que Olivia había oído esas palabras por última vez.

—Eres un hombre afortunado —dijo Olivia en voz baja, al tiempo que el taxi se detenía en la rue Saint Honoré, justo en la esquina de la place Vendôme.

—¿Por qué lo dices? —Lo único que a él le parecía afortunado había sido estar con ella esa noche, compartiendo sus secretos.

—Porque estás satisfecho con tu vida, crees en lo que haces y sigues creyendo en la decencia de la raza humana. A mí me gustaría seguir siendo así, pero ya hace demasiado tiempo que todo cambió.

Olivia sospechaba que el matrimonio de Peter no era tan feliz como él pensaba, pero no creía que él se hubiera dado cuenta. En cierto modo era afortunado porque estaba ciego, pero era sincero y estaba dispuesto a cerrar los ojos ante la humillante intrusión de su suegro en lo que debería haber sido una vida conyugal privada. Era afortunado a los ojos de Olivia, porque no veía la vaciedad que había en torno suyo, la percibía quizá, pero no era consciente de ella. Olivia había acabado por sentir una simpatía tan grande hacia Peter, que hubiera deseado no separarse de él jamás.

—Detesto tener que volver —susurró con tono somnoliento, apoyada aún en el hombro de Peter.

—Y yo detesto tener que dejarte —confesó Peter, obligándose a sí mismo a recordar que estaba casado. Jamás había hablado con nadie como con

Olivia. Era una mujer tan comprensiva, tan solitaria y herida... ¿Cómo podía dejarla?

—Sé que debo volver, pero no recuerdo el motivo —dijo ella, sonriendo, pensando en lo que harían los periodistas y fotógrafos si la hubieran visto en las últimas horas.

Peter comprendió de repente que jamás había tenido una conversación parecida con Kate y, aún peor, que se estaba enamorando de Olivia y ni siquiera la había besado.

—Los dos tenemos que volver —dijo con pesar—. Deben de estar muy preocupados por ti, y yo tengo que esperar noticias sobre mi producto.

—Y luego ¿qué? Nuestros mundos nos separan y nosotros seguimos adelante. ¿Por qué hemos de ser nosotros los valientes? —Tenía el tono de una niña enfurruñada, lo que hizo sonreír a Peter.

—Supongo que porque es nuestro destino. En algún lugar, alguien dijo una vez: «Mirad, tenéis que seguir esta línea, vosotros sois de los valientes.» Pero en realidad, Olivia, eres mucho más valiente que yo. —Ésta era la impresión que había sacado de su conversación, y la respetaba por ello.

—No, no lo soy. Nunca quise que todo esto ocurriera. No fue elección mía. Sencillamente pasó. No es valor, sólo es el destino. —Lo miró en silencio, deseando que pudieran continuar con su relación pero sabiendo que no podían—. Gracias por seguirme esta noche... y por la taza de café.

Peter le acarició los labios con los dedos.

—En cualquier momento... recuérdalo Olivia, en cualquier momento en que quieras una taza de café, allí estaré. En Nueva York, Washington o París. —Era su forma de ofrecerle su amistad, y ella lo comprendió.

—Buena suerte con Vicotec —dijo Olivia, bajando del taxi—. Si estás destinado a ayudar a la humanidad, Peter, lo conseguirás. Lo creo de veras.

—Yo también —replicó él con tristeza, echándola ya de menos—. Cuídate, Olivia. —Quería decirle muchas cosas, abrazarla, huir con ella al pueblo de pescadores. ¿Por qué la vida era tan injusta a veces? ¿Por qué no podían desaparecer como Agatha Christie?

Olivia permaneció de pie en la esquina durante largo rato, hasta que él le apretó la mano por última vez y Olivia se alejó por fin. Su menuda figura atravesó rápidamente la plaza en dirección al hotel. Mientras la contemplaba, Peter se preguntó si volvería a verla, aunque fuera en el hotel. Después la siguió.

Al llegar a la puerta del Ritz, Olivia se volvió y le dijo adiós con la mano por última vez. Peter se reprochó entonces no haberla besado.

4

Al día siguiente Peter se asombró de dormir hasta el mediodía. Y una vez despierto, siguió pensando en Olivia. Se sentía solo y triste sin ella. Al mirar por la ventana vio que llovía. Estuvo largo rato ante el café y los cruasanes de su desayuno, pensando en ella y preguntándose qué habría ocurrido en la habitación de Olivia a su regreso. Le intrigaba saber si su marido se habría puesto furioso, si estaría asustado, enfermo de preocupación, o al menos inquieto. Él no se imaginaba a Kate haciendo una cosa así, pero dos días antes tampoco se hubiera imaginado a sí mismo siguiendo a una desconocida.

Mientras terminaba el café pensó en las cosas que Olivia le había dicho sobre su propia vida y sobre la de él. Ver su matrimonio a través de los ojos de Olivia le dio una nueva perspectiva y le hizo sentir lo perjudicial de la relación de Katie con su padre. Estaban tan unidos que en realidad él se sentía excluido. Le dolía no poder hablarle a su mujer sobre su conversación con Suchard y el auténtico motivo por el que se quedaba en París.

Era extraño pensar que le había resultado más fácil hablar con una desconocida, que había comprendido su ansiedad y la angustia de su espera. Se dio una ducha y se vistió, siempre pensando en Olivia: en su rostro, en sus ojos, en esa mirada melancólica que le había dirigido antes de alejarse definitivamente, y en la tristeza que había sentido él al verla marchar. Fue casi un alivio que el teléfono sonara una hora más tarde. Era Katie. De pronto Peter sintió deseos de estar a su lado, de abrazarla y confirmar que ella le amaba realmente.

—Hola —dijo Kate. Para ella eran las siete de la mañana, pero su voz sonaba alegre y despierta, y sugería que ya tenía prisa—. ¿Qué tal por París?

Peter vaciló unos instantes, no sabiendo qué contarle.

—Bien. Te echo de menos —respondió al fin. La impaciencia por tener noticias de Suchard se convirtió en una pesada losa que le oprimía; la noche anterior, en cambio, pasó a ser una ilusión. ¿O era Olivia la que se había vuelto real y Katie el sueño? Con el cansancio de la noche en vela todo le parecía más confuso.

—¿Cuándo vuelves a casa? —preguntó Katie, y bebió un sorbo de café. Estaba terminando de desayunar en Greenwich. Tenía prisa porque quería coger el tren de las ocho para Nueva York.

—Dentro de unos días, espero —contestó él pensativamente—, este fin de semana lo más tarde. Suchard se ha retrasado un poco con las pruebas y he decidido esperar aquí. He pensado que así le haría acabar antes.

—¿El retraso es por culpa de algo importante o

sólo son cuestiones técnicas? —quiso saber Katie, y a Peter le pareció ver a Frank aguardando la respuesta al lado de su hija. Estaba seguro de que Frank le había contado a ella todo lo que habían comentado el día anterior.

—Sólo cosas menores —dijo, midiendo como siempre sus palabras—. Ya sabes lo meticuloso que es Suchard —agregó con aplomo.

—Es demasiado perfeccionista, si quieres saber mi opinión. Siempre encuentra problemas donde no los hay. Papá dice que en Ginebra todo fue muy bien. —Parecía orgullosa de su marido, pero también un poco fría. A lo largo de los años su relación conyugal había tenido altibajos. Katie parecía menos cariñosa que antes, y demostraba menos su afecto, salvo que estuviera de un humor juguetón y a solas con él. Aquella mañana no parecía especialmente cordial.

—Desde luego —dijo Peter, sonriendo e intentando imaginarse a su mujer, pero todo lo que veía era a Olivia sentada en su cocina de Greenwich. Era una extraña alucinación, que no dejó de preocuparle. Abrió los ojos y miró fijamente la lluvia que caía en el exterior, intentando concentrarse en lo que veía—. ¿Qué tal la cena con tu padre ayer? —inquirió para cambiar de tema.

—Muy bien. Hicimos planes para cuando estemos en Vineyard. Papá intentará quedarse los dos meses enteros este año. —Parecía complacida y Peter tuvo que esforzarse para no pensar en lo que le había dicho Olivia sobre los compromisos. Hacía casi veinte años que vivía así y tendría que seguir haciéndolo.

—Ya sé que se va a quedar allí los dos meses. Me dejaréis solo en la ciudad. —Pensó entonces en sus hijos—. ¿Cómo están los chicos? —preguntó con interés verdadero; los quería mucho.

—Ocupados. No los veo nunca. Pat ha terminado las clases. Paul y Mike llegaron a casa el día que te fuiste y la casa vuelve a parecer un zoológico. Me paso el día recogiendo calcetines y tejanos, e intentando emparejar zapatillas deportivas del mismo número.

Al oír a Kate hablar de ellos, Peter se dio cuenta de que los echaba de menos.

—¿Qué vas a hacer hoy? —preguntó, pensando en lo poco que tenía que hacer él, excepto esperar.

—Tengo reunión de la junta escolar en la ciudad. Luego pensaba comer con papá y comprar algunas cosas para Vineyard. Los chicos dejaron las sábanas inservibles el año pasado, y también nos irían bien toallas nuevas y algunas otras cosillas.

—Si ya cenaste con Frank anoche —dijo Peter, frunciendo el ceño. Su manera de ver las cosas se había modificado ligeramente.

—Sí, pero le dije que iría a la ciudad hoy y me ha invitado a una comida rápida en su sala de juntas. ¿Y tú? —preguntó rápidamente.

Peter pensó qué demonios tendría que decirle Katie a su padre. Miró por la ventana. París le gustaba incluso bajo la lluvia.

—He pensado trabajar un poco en mi habitación. Me he traído el ordenador portátil y tengo un montón de detalles que resolver.

—No parece muy divertido. ¿Por qué no vas a comer con Suchard al menos?

—Creo que está muy ocupado —contestó Peter con tono vago.

—Yo también. Será mejor que me vaya o perderé el tren. ¿Algún mensaje para papá?

Peter meneó la cabeza, diciéndose que si quería decirle algo a su suegro le llamaría él mismo o le pondría un fax. No quería enviarle mensajes a través de Katie.

—No. Diviértete. Nos veremos en unos días —dijo Peter.

—No trabajes demasiado —se despidió ella con tono inexpresivo y luego colgó.

Peter se quedó sentado largo rato pensando en su mujer. La conversación no había sido satisfactoria, pero era típica de ella. Katie se interesaba por lo que hacía y todo cuanto tuviera que ver con el negocio, pero nunca tenía tiempo para él. Jamás hablaban de sus pensamientos ni compartían sus emociones. Algunas veces Peter había llegado a preguntarse si a Katie le asustaba tener una relación íntima con alguien que no fuera su padre. El hecho de que su madre hubiera muerto cuando ella era una niña le había producido una sensación de pérdida y abandono, y el miedo a atarse a alguien que no fuera su padre, que, para ella, era la persona más importante del mundo, porque siempre había estado a su lado. Y Frank era muy exigente con ella, esperaba mucho tiempo y atención de su hija, además del agradecimiento por la generosidad de sus regalos. Katie necesitaba también a su marido y a sus hijos, pero Peter sospechaba que nunca había amado a nadie tanto como a su padre, aunque ella se negara a admitirlo. Y cuando creía que algo o alguien amenazaba a Frank, luchaba como una leona para protegerlo. Era la reacción que hubiera debido demostrar con su esposo, no con su padre. Aquélla era la característica antinatural de su relación que siempre había preocupado a Peter.

Peter trabajó con el ordenador hasta las cuatro, hora en que decidió llamar a Suchard. Esta vez respondió él en persona, pero se mostró seco y le dijo que no tenía nada nuevo. Ya le había prometido que le llamaría cuando terminara las pruebas.

—Lo sé; lo siento... Había pensado... —Peter se sintió estúpido por ser tan impaciente.

Después de la llamada le resultó imposible concentrarse en el trabajo, así que, a las cinco, decidió bajar a la piscina para intentar relajarse nadando.

Buscó a Olivia en el ascensor, en el gimnasio y en todas partes, pero no la vio. Quería saber si lo de la noche anterior había sido sólo un extraño interludio para ella, o un punto de inflexión en su vida. No podía olvidar sus grandes ojos castaños, la inocencia de su rostro, la seriedad de su expresión y su esbelta figura. No consiguió apartarla de su mente ni siquiera nadando, y no se sentía mejor cuando volvió a su habitación y encendió el televisor. Necesitaba algo que le distrajera de la imagen de Olivia y de la prueba de Suchard que había de decidir el destino de Vicotec.

El mundo seguía como de costumbre en las noticias de la CNN. Había problemas en Oriente Medio, un leve terremoto en Japón y una amenaza de bomba en el Empire State Building de Nueva York que había hecho salir a varios miles de personas aterrorizadas a la calle, lo que sólo sirvió para recordarle lo sucedido la noche anterior. De pronto le pareció haberse vuelto loco: el presentador de la CNN acababa de pronunciar el nombre de Olivia mientras en pantalla se veía una fotografía borrosa en la que aparecía ella con su camiseta blanca mientras se alejaba, y luego salía una foto más borrosa aún de un hombre que la seguía a distancia, aunque sólo se veía la nuca.

«La esposa del senador Anderson Thatcher desapareció anoche en París, durante una amenaza de bomba en el hotel Ritz. Se la vio alejarse de la place Vendôme apresuradamente y se fotografió a un hombre que la seguía. Pero no se sabe nada más sobre él, si la seguía por algún motivo concreto, o siguiendo un plan, o por pura coincidencia. No era uno de sus guardaespaldas, y nadie ha podido dar referencias sobre él.»

Peter comprendió de inmediato que el hombre de la fotografía era él, pero afortunadamente no le había reconocido nadie y le parecía imposible que lo consiguieran con aquella fotografía.

«No se ha vuelto a ver a la señora Thatcher aproximadamente desde la medianoche de ayer. Un guarda nocturno afirma haberla visto entrar en el hotel esta mañana temprano, pero otros aseguran que no ha regresado después de tomada esta foto. Por el momento es imposible decir si se trata de un secuestro o si, sencillamente, la señora Thatcher se ha marchado para alejarse de la tensión política y descansar con algunos amigos, tal vez cerca de París. Aunque esta última hipótesis parece cada vez menos probable a medida que pasa el tiempo. Lo único que se sabe con certeza es que Olivia

Thatcher ha desaparecido. Les habla la CNN desde París.»

Peter se quedó mirando la pantalla fijamente con expresión incrédula. Pusieron una serie de fotografías de Olivia, y luego apareció su marido, entrevistado por un periodista local. Éste dio a entender que la señora Thatcher había estado deprimida durante los últimos dos años, desde la muerte de su hijo, Alex, pero Andy Thatcher lo negó. El senador añadió también que estaba convencido de que su esposa se encontraba sana y salva en alguna parte y que, de haber sido secuestrada, recibiría pronto alguna noticia de los responsables. Parecía muy sincero y sorprendentemente tranquilo. Tenía los ojos serenos y no mostraba el menor síntoma de pánico. El periodista dijo entonces que la policía se había pasado la tarde en el hotel con el senador y todos sus acompañantes, interviniendo los teléfonos y esperando alguna noticia. Sin embargo, había algo en el aspecto de Andy Thatcher que hizo pensar a Peter que el senador dejaba transcurrir las horas trabajando en su campaña, en lugar de sumirse en el miedo y la inquietud que la desaparición de su esposa hubiera provocado en cualquier marido. El propio Peter se sentía aterrorizado al intentar imaginar qué podía haberle ocurrido a Olivia después de separarse de ella.

Él la había visto entrar en el hotel poco después de las seis de la mañana. Se sentía responsable de lo que pudiera haber sucedido. Tal vez la habían secuestrado cuando subía a su habitación. Dándole vueltas y más vueltas, Peter decidió que el secuestro no casaba con lo que él sabía, y las palabras «Agatha Christie» no dejaban de rondarle por la cabeza. Cuanto más lo pensaba, más sospechaba que Olivia había desaparecido por voluntad propia. Tal vez no podía volver a enfrentarse con su vida anterior, aunque fuera su deber.

Peter empezó a pasearse por la habitación mientras pensaba en ella. Minutos después sabía lo que debía hacer. Era algo extraño, sin duda, pero valía la pena intentarlo si la seguridad de Olivia dependía de ello. Tenía que decirle al senador que había estado con ella y dónde, y que la había llevado de vuelta al hotel por la mañana. Quería hablarle también de La Favière porque, cuanto más reflexionaba sobre el asunto, más convencido estaba de que Olivia se había ido allí. La conocía muy poco, pero le resultaba evidente que era el único sitio al que ella acudiría en busca de refugio. Sin duda el senador conocía la existencia de ese lugar y lo mucho que significaba para su mujer, pero tal vez lo hubiera pasado por alto. Peter quería contárselo y sugerir a la policía que debían ir a buscarla allí. Si no la encontraban en aquel pueblo, tendrían la seguridad de que le había ocurrido algo.

Peter no perdió tiempo esperando el ascensor. Se dirigió directamente a las escaleras y subió los dos tramos corriendo. Olivia había mencionado el número de su habitación la noche anterior. Al llegar a su planta, se encontró con policías y agentes del servicio secreto conversando por los pasillos. Parecían apagados, pero no particularmente sombríos. Ni siquiera delante de la puerta de la habitación de Olivia parecían preocupados en exceso. Todos lo miraron mientras se acercaba. Parecía un hombre respetable; vestía traje y llevaba la corbata en la mano. A Peter se le ocurrió preguntarse si Andy Thatcher querría recibirle. En realidad Peter no quería hablar de todo aquello con nadie, y ciertamente iba a resultar embarazoso contarle que había estado charlando con su esposa en Montmartre durante varias horas, pero a Peter le parecía importante ser sincero con él.

Cuando llegó a la puerta, Peter pidió ver al senador. Un guardaespaldas le preguntó si lo conocía y Peter tuvo que admitir que no. Peter le dio su nombre, sintiéndose estúpido por no haber llamado primero por teléfono, pero había tenido mucha prisa en comunicar lo que sabía.

El guardaespaldas entró en la suite. Peter oyó risas y ruidos en el interior, vislumbró humo y le pareció que allí dentro se charlaba animadamente. Casi parecía una fiesta. No sabía si todo aquello tendría que ver con la investigación para encontrar a Olivia, o si, por el contrario, tal como él había sospechado antes, se encontraban discutiendo temas de la campaña o de política en general.

El guardaespaldas volvió al cabo de un momento y excusó cortésmente al senador Thatcher, quien, al parecer, se hallaba celebrando una reunión en ese mismo momento. Tal vez si el señor Haskell tenía la bondad de telefonear en otro momento, podrían conversar. Y añadió que estaba seguro de que el señor Haskell lo comprendería, dadas las circunstancias.

En efecto, el señor Haskell lo comprendía, aunque no entendía demasiado por qué se reían en aquella habitación, por qué nadie parecía preocupado por la desaparición de Olivia. ¿Es que acaso lo hacía a menudo, o sencillamente a ellos no les importaba? ¿Sospechaban, tal vez, igual que él, que la esposa del senador estaba harta y había decidido tomarse un par de días libres para aclararse las ideas?

Peter estuvo tentado de contestar al guardaespaldas que su mensaje tenía que ver con el paradero de la esposa del senador, pero sabía que hubiera sido un error, y comprendía ahora lo difícil que hubiera resultado explicarle al marido lo ocurrido la noche anterior. ¿Por qué la había seguido, para empezar? Mal interpretado, el asunto podía convertirse en un gran escándalo. Haciéndose cargo de su error, Peter volvió a su habitación para llamar por teléfono. Apenas llegó, volvió a ver la foto de Olivia en la CNN. Esta vez el periodista especulaba con la idea del suicidio. Se mostraron fotos del hijo muerto de Olivia, y de ella en el funeral, llorando. Los ojos acosados que le miraron desde la pantalla parecían suplicarle que no la traicionara. Después de las fotos, pasaron una entrevista con un experto en depresiones y hablaron de las locuras que cometía la gente cuando perdía la esperanza, como sospechaban que había ocurrido a Olivia Thatcher al morir su hijo. Peter sintió ganas de tirarles algo a la cabeza. ¿Qué sabían ellos de su dolor o de su vida? ¿Qué derecho tenían a desmenuzar su vida ante las cámaras? Llegaron incluso a poner fotografías del día de su boda y del funeral de su cuñado seis meses después.

Peter tenía el auricular en la mano cuando empezaron a hablar de las tragedias de la familia Thatcher, y habían llegado a lo que ya llamaban trágica desaparición de Olivia Thatcher, cuando la operadora contestó a Peter. Éste estuvo a punto de pedir el número de la habitación de los Thatcher, pero de repente comprendió que no podía hacerlo todavía. Primero tenía que comprobarlo por sí mismo. Y si Olivia no estaba en La Favière, llamaría a Anderson y se lo diría. Después de su conversación de la noche anterior, Peter se sentía obligado a callar para no traicionar a Olivia.

Colgó el teléfono cuando el presentador de la CNN anunciaba que el gobernador Douglas y su esposa, los padres de Olivia Thatcher, no habían realizado aún ninguna declaración sobre la misteriosa desaparición de su hija en París. El presentador siguió con su cantinela mientras Peter cogía un suéter del armario. Deseó disponer de unos tejanos, pero no era ése el tipo de ropa que solía meter en la maleta para un viaje de negocios.

Llamó a recepción. Se enteró de que no había más vuelos a Niza hasta el día siguiente y de que el último tren acababa de salir, así que pidió un coche de alquiler y un mapa que le llevara desde París hasta el sur de Francia. Cuando le ofrecieron un chófer, dijo que conduciría él mismo. Sin duda con chófer hubiera ido más deprisa, pero su viaje ya no sería privado. Le aseguraron que lo tendrían todo dispuesto al cabo de una hora, que el coche estaría en la puerta con los mapas correspondientes en la guantera. A las ocho en punto, cuando bajó, halló un Renault nuevo esperándole con los mapas prometidos. El portero le explicó amablemente cómo salir de París. Peter no llevaba equipaje, tan sólo una manzana, una botella de agua y un cepillo de dientes en el bolsillo. Cuando subió al coche tuvo la sensación de que perseguía una quimera. En recepción le habían dicho que podía dejar el coche en Niza o en Marsella, si le convenía, y volver a París en avión, pero eso sólo sería necesario si no encontraba a Olivia. Si lo hacía, le pediría que volviera con él en el coche. Al menos podrían hablar durante el viaje y tal vez él pudiera ayudarla.

La autovía del Sol tenía un denso tráfico a pesar de la hora. Sólo cuando llegó a Orly empezaron a escasear los vehículos y consiguió aumentar la velocidad durante las siguientes dos horas hasta que llegó a Pouilly. Peter sentía una extraña paz. No estaba seguro del motivo, pero le parecía que estaba haciendo lo correcto. Por primera vez en varios días se sentía libre de responsabilidades y preocupaciones. Había algo en el hecho mismo de conducir a toda prisa en medio de la noche que le daba una impresión de huida, como si todos sus problemas quedaran atrás. Mientras conducía, no hacía más que imaginar el rostro de Olivia y aquellos ojos que tanto le habían impresionado. Pensó también en la noche en que la había encontrado en la piscina, cuando se alejó de él como un estilizado pez negro... y luego atravesando la place Vendôme hacia la libertad... la mirada de desesperación que había en sus ojos al volver al hotel... la sensación de paz que expresaba su rostro al hablar del pequeño pueblo de pescadores. Era una locura atravesar toda Francia para ir a buscarla. Sin embargo, sabía que no tenía más remedio que hacerlo, igual que la había seguido la noche anterior. Por razones que él desconocía aún, tenía que encontrarla.

5

La carretera a La Favière era larga y aburrida, pero gracias a la velocidad que pudo alcanzar fue menos pesada de lo que esperaba. Llegó al pueblo a las seis de la mañana, justo cuando amanecía. Se había comido la manzana y la botella de agua estaba casi vacía. Se había detenido a tomar café en dos ocasiones y, durante el trayecto, iba con todas las ventanillas bajadas y la radio encendida para mantenerse despierto. Sin embargo, llegó exhausto tras pasar la segunda noche en vela consecutiva, e incluso la excitación que le incitara a partir empezaba a desvanecerse. Peter comprendió que tendría que dormir un poco antes de iniciar la búsqueda. De todas formas era demasiado temprano. Todos dormían en el pueblo, excepto los pescadores que empezaban a llenar el puerto. Peter estacionó el coche en el arcén de la carretera y pasó al asiento de atrás. No tenía mucho sitio, pero bastaría para lo que necesitaba.

Se despertó a las nueve al oír jugar a unos niños cerca del coche y el graznido de las gaviotas. Otros sonidos y ruidos llegaron hasta él cuando se incorporó, sintiéndose fatal. El viaje había sido muy largo, pero valdría la pena si conseguía encontrarla. Al desperezarse se vio en el espejo retrovisor y se echó a reír. Su aspecto hubiera asustado a cualquier niño.

Se peinó y se lavó los dientes con lo que quedaba de la botella de agua, y volvía a tener un aspecto respetable al bajar del coche para emprender la búsqueda. No tenía ni idea de por dónde empezar, así que siguió a los niños hasta una panadería, compró un cruasán y se lo comió mientras contemplaba el mar. Los barcos de pesca ya se habían hecho a la mar, pero quedaban los pequeños remolcadores y veleros en el puerto. También vio grupos de ancianos que charlaban bajo el sol, que ya estaba alto en el cielo. Peter miró alrededor y decidió que Olivia tenía razón; aquél era el lugar perfecto para huir, apacible y hermoso, y con algo especial, cálido, como el abrazo de un viejo amigo. Cerca del puerto había una larga playa arenosa. Peter echó a andar por la arena, deseando tomarse una taza de café. Se sentía hipnotizado por el sol y el mar. Llegó casi hasta el otro extremo de la playa y se sentó sobre una roca, pensando en Olivia, preguntándose si estaría en aquel pueblo. De repente, al levantar la cabeza, una mujer apareció rodeando una roca desde la playa contigua. Iba descalza, en camiseta y pantalones cortos, era menuda y delgada y la brisa alborotaba sus cabellos. La mujer le sonrió mientras él la miraba asombrado. Parecía cosa del destino; sin esfuerzo, tan sencillo. Se hallaba allí como si hubiera estado esperándole. Olivia Thatcher caminó lentamente hacia él.

—No creo que esto sea una coincidencia —dijo en voz baja, sentándose en la roca junto a él. Peter seguía aún atónito.

—Me dijiste que volvías a tus obligaciones —replicó Peter, escudriñando sus ojos, pero ya tranquilo.

—Y pensaba hacerlo. Ésa era mi intención, pero cuando llegué descubrí que no podía. —Parecía triste—. ¿Cómo has sabido dónde estaba?

—Lo vi en la CNN —contestó él con una sonrisa. Olivia lo miró horrorizada.

—¿Que estoy aquí?

—No... —Peter rió—. Sólo dijeron que habías desaparecido. Creía que habías vuelto a tu vida cotidiana como esposa de un senador, aunque con reticencias, cuando a las seis de la tarde puse las noticias y allí estabas. Temían que te hubiesen secuestrado y pusieron una foto mía siguiéndote desde la place Vendôme, aunque afortunadamente no era demasiado nítida. —Peter sonrió. Todo aquello era absurdo, una pequeña locura. Se abstuvo de comentar lo que habían dicho los periodistas sobre la depresión de Olivia.

—Dios mío, no tenía ni idea. —Olivia se quedó pensativa, asimilando lo que acababa de oír—. Iba a dejarle una nota a Andy diciendo que volvería dentro de unos días, pero al final tampoco pude hacer eso. Sencillamente me fui y vine aquí. Vine en tren.

Peter asintió. Él aún no se explicaba qué impulso lo había llevado hasta allí. Era la segunda vez que seguía a Olivia, atraído por una fuerza que no comprendía, pero a la que tampoco se podía resistir. Ambos permanecieron silenciosos. Los ojos de Peter la acariciaban.

—Me alegro de que hayas venido —dijo ella por fin.

—Yo también... —De pronto Peter volvía a tener un aire de adolescente bajo la brisa que le echaba los cabellos sobre la cara—. No estaba seguro de que no te enfadarías si te encontraba. —Había pensado en ello durante todo el viaje desde París, temiendo que ella considerara su búsqueda como una intromisión imperdonable.

—¿Enfadarme? Pero si has sido tan amable conmigo... me has escuchado... has recordado lo que te dije. —Olivia estaba conmovida por el gesto de Peter, de que le hubiera importado tanto como para ir a buscarla. Súbitamente se puso en pie y le tendió una mano—. Vamos, te llevo a desayunar. Debes de estar hambriento después del viaje.

Caminaron lentamente hacia el puerto cogidos del brazo.

—¿Estás cansado?

Peter se echó a reír al recordar su cansancio de antes.

—Estoy bien. He dormido unas tres horas al llegar. No es que duerma mucho cuando estoy contigo.

—Lo siento —dijo ella.

Instantes después entraban en un pequeño restaurante, donde pidieron tortilla, cruasanes y café. Peter lo devoró todo en cuanto llegó con su aroma fragante. Olivia se limitó a picar mientras lo contemplaba y bebía un café bien cargado.

—Aún no acabo de creer que estés aquí —dijo.

Parecía complacida, pero algo melancólica. Andy no hubiera hecho nunca algo así, ni siquiera al principio de su relación.

—Intenté hablar con tu marido y contarle lo de este sitio —confesó Peter.

—¿Qué le has dicho? —preguntó Olivia, sorprendida. No quería que Andy fuese a buscarla. En parte había escapado por su causa.

—Al final no pude decirle nada —la tranquilizó Peter—. Quería hacerlo, pero me eché atrás cuando fui a vuestra suite para verlo. Me encontré con la policía, el servicio secreto y los guardaespaldas. Y me pareció que estaba reunido.

—Estoy convencida de que esa reunión no tenía nada que ver conmigo. Andy tiene un sexto sentido para saber cuándo se ha de preocupar y cuándo no. Por eso no le dejé la nota. Supongo que no hice bien, pero él me conoce lo bastante como para saber que no me ha pasado nada malo. No creo que él piense que me han secuestrado.

—Tampoco a mí me dio esa impresión cuando fui a la suite —dijo Peter *lentamente.* La sensación de que Andy Thatcher no parecía inquieto por la suerte de su esposa le había dado motivos para creerse con derecho a buscarla antes y llamarle después—. ¿Vas a llamarle, Olivia?

—Lo haré, más adelante. Todavía no sé qué le diré. No estoy segura de que pueda volver, aunque supongo que tendré que hacerlo, brevemente al menos. Le debo algún tipo de explicación. —Mientras hablaba, pensaba cómo podía explicarle que sencillamente no quería vivir más con él, que lo había amado pero que ese amor se había desvanecido, que él había traicionado todas sus esperanzas, todo lo que a ella le importaba o quería de él. Ya no quedaba nada entre ellos. Lo había descubierto el día anterior al volver a su suite, al encajar la llave en la cerradura y darse cuenta de que no podía darle la vuelta, de que no podía entrar. Olivia sabía que tampoco ella significaba nada para él y que, la mayor parte del tiempo, ni siquiera recordaba que existía.

—Olivia, ¿vas a dejar a tu marido? —quiso saber Peter. No era asunto suyo, pero había conducido durante diez horas para asegurarse de que a Olivia no le ocurría nada malo. Eso le daba un mínimo derecho a cierta información.

—Creo que sí.

—¿Estás segura? En vuestro mundo eso creará seguramente un gran alboroto.

—No tanto como descubrir que tú estás aquí conmigo —dijo ella, y ambos se echaron a reír, pero Olivia se puso seria enseguida—. El alboroto no me asusta. No es más que un montón de ruido, como niños en Halloween. Ése no es el problema. El problema es que ya no puedo seguir viviendo una mentira, no puedo soportar la hipocresía de la política. Además, sé que no sobreviviría a otras elecciones.

—¿Crees que se presentará a la presidencia el año que viene?

—Es muy probable. Pero yo no puedo estar a su lado. Aún le debo algo, pero eso no. Es demasiado pedir. Cuando empezamos todo iba bien, y sé que Alex significaba mucho para él, a pesar de que nunca estuvo con su hijo cuando más le necesitaba. Yo lo comprendía, pero creo que cambió cuando mataron a su hermano, que una parte de él murió también. Andy olvidó cuanto había sido o le había importado por la política. Yo no puedo hacer eso, ni veo razón para hacerlo. No quiero acabar como mi madre, medio alcoholizada, con migrañas y pesadillas constantes, aterrorizada siempre por la prensa y con las manos temblorosas. Nadie puede vivir bajo esa presión. Mi madre está destrozada desde hace años, pero tiene un aspecto fenomenal. Se arregló los ojos y se hizo un *lifting*, y disimula el miedo que tiene. Papá la lleva a todas sus reuniones, mítines, conferencias y discursos. Si fuera sincera admitiría que le odia por eso, pero jamás lo hará. Mi padre ha arruinado su vida y debería haberlo abandonado hace años. Quizá, de haberlo hecho, seguiría siendo una persona sana. Creo que ha permanecido a su lado únicamente para que no perdiera unas elecciones.

Peter la escuchaba muy serio y afectado por lo que le decía.

—Y si yo hubiera sabido que Andy se iba a meter en política jamás me hubiera casado con él. Supongo que debería haberlo sospechado —añadió Olivia con expresión de pesar.

—Tú no podías saber que matarían a su hermano, ni que se vería arrastrado a la política tras su muerte —comentó Peter.

—Tal vez eso no sea más que una excusa, tal vez hubiéramos fracasado de todas formas. Quién sabe. —Olivia se encogió de hombros y desvió la vista hacia la ventana. Los barcos de pesca parecían juguetes en el horizonte—. Esto es muy hermoso. Ojalá pudiera quedarme para siempre.

—¿En serio lo deseas? —preguntó Peter—. Si abandonas a tu marido, ¿volverás aquí? —Peter quería saber dónde estaría cuando pensara en ella durante los largos y fríos inviernos de Greenwich.

—Quizá —respondió Olivia, poco segura aún de muchas cosas. Sabía que debía volver a París y hablar con Andy, aunque no le apetecía en absoluto. Imaginaba que Andy le montaría un gran número por haber dejado que el mito del secuestro se propagara durante dos días.

—Ayer hablé con mi mujer —dijo Peter, mientras Olivia pensaba en silencio en su marido—. Resultó extraño hablar con ella después de todo lo que hablamos tú y yo la otra noche. Siempre he defendido todo lo que ella hacía y su relación con su padre, aunque en realidad no me gustaba. Pero después de haber hablado contigo, de repente me molesta. —Peter se sentía cómodo para hablar abiertamente. Olivia era sincera y comprensiva—. Cenó con él la otra noche. Y comía con él ayer. Van a estar juntos dos meses este verano, día y noche. Algunas veces me da la impresión de que está casada con él y no conmigo. Supongo que siempre me he sentido así. Lo único que me consolaba era que hemos pasado buenos años juntos, que nuestros hijos son formidables y que su padre me deja obrar a mi gusto en el negocio. —Extrañamente, lo que había tenido tanta importancia antes ya no parecía tenerla.

—¿Te deja hacer cuanto quieres? —Olivia no se

había atrevido a profundizar demasiado en París, pero ahora era él quien había sacado el tema a colación y, además, el hecho de que hubiera ido a buscarla a La Favière los había acercado aún más.

—Frank me deja hacer casi todo lo que deseo siempre. —No dio más explicaciones. Pisaban terreno resbaladizo. Olivia estaba dispuesta a dejar a Andy por motivos personales, pero él no deseaba hundir la nave conyugal con Katie. Al menos de eso estaba seguro.

—Y si las pruebas de Vicotec salen mal, ¿qué hará?

—Seguirá apoyando el proyecto, espero. Tendremos que continuar las investigaciones, aunque sin duda costará mucho más dinero. —Ése era el problema más grave, pero no creía que Frank se echara atrás después de tantos esfuerzos.

—Todos tenemos nuestros compromisos —dijo Olivia—. El único problema surge cuando creemos que hemos aceptado demasiados. A veces es cierto y otras no importa mientras seas feliz. ¿Lo eres tú? —preguntó, no como mujer sino como amiga.

—Creo que sí. —De repente Peter parecía confuso—. Siempre lo he creído, pero si he de ser sincero contigo, Olivia, al oírte empiezo a dudarlo. He cedido en demasiadas cosas: el lugar en que hemos de vivir, dónde han de estudiar los chicos, dónde hemos de veranear. Pero luego me digo a mí mismo: ¿y qué?, ¿qué más da? Lo malo es que a lo mejor no da lo mismo. Quizá no me importaría si Katie se preocupara más por mí, pero al escucharla me doy cuenta de repente de que no es así. Siempre anda con comités, haciendo algo para los chicos o para sí misma, o está con su padre. Ha sido así desde hace tiempo, al menos desde que los chicos se fueron al internado, o incluso antes. Pero yo estaba tan ocupado que no me daba cuenta. Y ahora, de repente, después de dieciocho años, no tengo a nadie con quien hablar. Estoy aquí, hablando contigo en un pueblo de pescadores de Francia, y te cuento cosas que jamás podría decirle a Katie... porque no puedo confiar en ella. Es así —dijo tristemente—, pero... —Miró a Olivia y buscó su mano al otro lado de la mesa—. No quiero abandonarla. Nunca he pensado en hacerlo. No me imagino llevando otra vida que no sea con ella y con los chicos, aunque he comprendido de pronto algo que no sabía o con lo que no me atrevía a enfrentarme: que estoy solo.

Olivia asintió en silencio. Estaba más que familiarizada con aquel sentimiento y había sospechado que Peter se hallaba en una situación similar desde el primer momento. Estaba convencida de que él no se había dado cuenta hasta entonces, de que las cosas habían ido rodando hasta que se había encontrado en un lugar que no esperaba. Peter la miró con una sinceridad absoluta para decirle algo que también había descubierto en los últimos dos días.

—Independientemente de mis sentimientos, creo que jamás tendré el valor necesario para dejarla. Sería demasiado complejo. —La sola idea de tener que empezar una nueva vida le deprimía.

—No sería fácil, desde luego —dijo Olivia, pensando en sí misma, con la mano aún en la de Peter.

No le había perdido el respeto por lo que le estaba contando. Al contrario, lo apreciaba aún más por ser capaz de decirlo—. A mí también me aterra, pero al menos tú tienes una vida con ella, por muchas carencias de que adolezca. Está ahí, habla contigo, te quiere a su modo, aunque sea con limitaciones o esté demasiado unida a su padre. También demuestra lealtad hacia ti y hacia vuestros hijos. Tenéis una vida juntos, Peter, aunque no sea perfecta. Andy y yo no tenemos nada. Él se alejó casi desde el principio.

Peter sospechaba que era cierto y no intentó defender al marido de Olivia.

—Entonces, quizá sea mejor que lo dejes. —Sin embargo, a Peter le preocupaba que ella se quedara sola, aunque fuera en su pequeño refugio, y no dejaba de pensar en lo doloroso que resultaría para él no volver a verla ni hablar con ella. La leyenda que había vislumbrado en el ascensor se había convertido en una mujer de carne y hueso—. ¿Podrías volver a casa de tus padres durante una temporada, hasta que las cosas se normalizaran, y luego venirte aquí? —Intentaba ayudarla y ella le recompensó con una sonrisa.

—Quizá. No estoy segura de que mi madre tenga la fuerza necesaria para sobrellevar esta situación, sobre todo si mi padre se pone de parte de Andy en contra mía.

—¡Qué agradable! —comentó Peter sarcásticamente—. ¿Crees que lo haría?

—Es posible. Los políticos suelen apoyarse unos a otros. Mi hermano está de acuerdo con todo lo que hace Andy, sólo por principio. Y mi padre siempre le apoya. Es bueno para ellos y malo para el resto de nosotros. Mi padre está convencido de que Andy debería presentarse como candidato a la presidencia. No creo que mi defección se viera con buenos ojos. Seguramente le perjudicará, o incluso le quitará toda posibilidad de presentarse. Un presidente divorciado es inconcebible. Personalmente creo que le haría un favor. El trabajo de presidente sería una pesadilla para él. Y a mí me mataría.

Peter asintió, asombrado por el cariz de la conversación. Si su vida era difícil, más aún lo era la de Olivia. Al menos él tenía una vida privada y no estaba constantemente expuesto al escrutinio general. Olivia, por otra parte, estaba emparentada con un gobernador, un senador, un congresista y con un posible presidente.

—¿Crees que podrías seguir con él? Si decide presentarse a las elecciones presidenciales, quiero decir.

—No veo cómo. Equivaldría a venderme definitivamente. Pero supongo que cualquier cosa es posible. Si pierdo la cabeza, o si me encierra atada y amordazada en un armario. Podría decirle a la gente que estoy durmiendo.

Peter sonrió y pagó el desayuno, que fue sorprendentemente barato. Salieron del restaurante cogidos del brazo.

—Si lo hiciera, tendría que ir a rescatarte de nuevo —dijo Peter. Se sentaron en el muelle con los pies colgando sobre el agua. Ofrecían un extraño contraste, él de camisa blanca y pantalón de traje, y ella con los pies descalzos.

—¿Es eso lo que has hecho al venir? —preguntó Olivia, apoyándose en él con una sonrisa radiante—. ¿Rescatarme? —Parecía complacida por la definición. Nadie la había rescatado en muchos años.

—Pensaba que sí... bueno, ya sabes, de los secuestradores o terroristas, o quienquiera que fuera aquel tipo de la camisa blanca que te siguió desde la place Vendôme. A mí me pareció un tipo sospechoso. Desde luego se imponía el rescate. —El sol brillaba sobre sus cabezas mientras ellos seguían balanceando los pies como niños.

—Me gusta —dijo Olivia, y sugirió que volvieran a la playa—. Podríamos ir caminando hasta mi hotel y luego ir a nadar desde allí. —Peter se echó a reír al imaginarse nadando con la ropa que llevaba puesta—. Podrías comprarte unos pantalones cortos y un bañador. Es una lástima desperdiciar un día tan bonito.

Peter la miró. Era una lástima, en efecto, pero había ciertos límites que no podían traspasar.

—Debería volver a París. He tardado casi diez horas en llegar.

—No seas ridículo. No vas a hacer un viaje tan largo sólo para desayunar. Además, allí no tienes nada que hacer salvo esperar a que te llame Suchard, y tal vez tarde unos días más. Podrías llamar al hotel para que te pasaran los mensajes y telefonearle tú desde aquí si es necesario.

—Desde luego con eso ya está arreglado —dijo Peter, riendo al ver la rapidez con que Olivia se desembarazaba de sus obligaciones.

—Puedes alojarte en mi hotel esta noche, y mañana volveríamos los dos en el coche —propuso

Olivia. Peter se sintió tentado por aquella sugerencia, pero no estaba convencido de que fuese correcto.

—¿No crees que al menos deberías llamarle? —dijo Peter mientras caminaban por la playa cogidos de la mano. De repente, al mirarla, Peter comprendió que jamás se había sentido tan libre en toda su vida.

—No necesariamente —respondió Olivia, cuya expresión estaba muy lejos de ser contrita—. Piensa en toda la publicidad que obtendrá gracias a esto, toda la simpatía y atención que le concederán. Sería una pena estropeárselo.

—Has estado metida en el mundo de la política demasiado tiempo —dijo Peter, riendo. Se sentó en la arena junto a ella. Se había quitado los zapatos y los calcetines y los llevaba en la mano. Se sentía como un mirón de playa—. Empiezas a pensar igual que ellos.

—Jamás. Ni siquiera en mis peores momentos estoy tan podrida como para hacer eso. Por nada del mundo me prestaría a ese juego. Lo único que he querido en la vida lo perdí. Ya no me queda nada por perder.

Era lo más triste que Peter le había oído decir, y sabía que hablaba de Alex, su hijo.

—Tal vez tengas más hijos algún día, Olivia —le dijo amablemente. Olivia estaba tumbada junto a él con los ojos cerrados, como si pudiera alejar la pena negándose a mirarla a la cara. Pero Peter vio lágrimas en sus ojos y se las secó con suavidad—. Debió de ser horrible... lo siento mucho. —Hubiera deseado llorar con ella, abrazarla, borrar todo el dolor que había sufrido durante los últimos seis años, pero se sentía impotente.

—Fue horrible —susurró ella con los ojos todavía cerrados—. Gracias, Peter... por ser mi amigo y por estar aquí. —Olivia abrió los ojos y lo miró. Se miraron durante largo rato. De repente, ocultos en aquel pueblo remoto de Francia, supieron que se tendrían el uno al otro para siempre, al menos todo el tiempo que se atrevieran. Peter se apoyó en un codo para mirarla y comprendió con absoluta certeza que jamás había sentido lo mismo por otra persona.

—Quiero estar contigo —le dijo en voz baja, acariciando su rostro y sus labios con los dedos—, pero no tengo derecho. Nunca había hecho nada parecido. —Le atormentaba su presencia, pero, al mismo tiempo, ella era el bálsamo que suavizaba sus heridas. Estar con ella era lo mejor que le había pasado en la vida, y también lo más confuso.

—Lo sé —replicó Olivia. Lo sabía todo sobre Peter; con las entrañas, con el alma, con el corazón—. No espero nada de ti, ya has estado conmigo más de lo que ha estado cualquiera en los últimos años. No puedo pedir más... y no quiero hacerte desgraciado —dijo, mirándole con tristeza. En algunos aspectos ella sabía más sobre la vida de Peter que él mismo.

—Shhh... —la interrumpió él, poniéndole un dedo sobre los labios.

Entonces, sin decir nada más, se tumbó a su lado, la tomó entre los brazos y la besó. No había nadie allí que los viera, ni a quien le importara. Todo lo que se interponía entre ellos eran sus conciencias y los obstáculos que ellos mismos llevaban consigo, y que yacían como desperdicios sobre la arena, traídos por el agua y dejados allí, en torno de ellos: sus parejas respectivas, sus recuerdos, sus vidas. Sin embargo, nada parecía importar mientras él la besaba con toda la pasión que había reprimido durante años y que había olvidado ya. Estuvieron abrazados durante largo rato. Olivia le devolvía los besos con la misma avidez, con un alma aún más hambrienta. Tardaron bastante en recordar dónde estaban y en separarse.

—Te quiero, Olivia —dijo Peter, jadeante. La atrajo hacia sí y permanecieron tumbados sobre la arena, mirando el cielo resplandeciente—. Debe de parecerte una locura después de dos días nada más, pero tengo la impresión de conocerte desde siempre. No tengo derecho a decírtelo... pero te quiero. —En sus ojos había algo nuevo al mirar a Olivia.

—Yo también te quiero. Sólo Dios sabe qué consecuencias tendrá todo esto, seguramente no demasiado buenas, pero nunca había sido tan feliz como ahora. Tal vez deberíamos fugarnos juntos. Al diablo con Vicotec y con Andy. —Se echaron a reír. Era extraordinario darse cuenta de que nadie sabía dónde estaban. De ella creían que había sido secuestrada o algo peor, y de él, sencillamente, que había desaparecido con un coche alquilado, una botella de agua y una manzana. Nadie podía encontrarlos.

En ese momento, una idea cruzó por la mente de Peter. Tal vez la Interpol se hallaba de camino hacia el pueblo.

—¿Cómo es que tu marido no ha imaginado

que tal vez vendrías aquí? —Si tan evidente había sido para él, más tendría que haberlo sido para su marido.

—Nunca le he hablado de este sitio. Siempre lo he mantenido en secreto.

—¿En serio? —Peter se quedó atónito. ¿A él se lo había contado la primera noche, nada más conocerse, y sin embargo nunca se lo había dicho a Andy? Se sintió halagado. Su confianza en él era extraordinaria, pero, por otro lado, también era mutua. No había nada importante que él no le hubiera contado—. Entonces supongo que aquí estamos a salvo. Al menos durante unas horas.

Más tarde, una vez él consiguió un bañador y regresaron a la playa dispuestos a darse un chapuzón, su determinación empezó a flaquear. Apenas podía resistirse a la excitación que le produciría nadar junto a Olivia.

Ella afirmó que nadar en el océano la asustaba y que nunca le había gustado navegar por esa razón. Le preocupaban las corrientes y los peces agresivos. Sin embargo, al lado de Peter se sentía protegida, así que fueron nadando hasta un bote que había amarrado a una boya. Se subieron a él y descansaron un rato. Peter hubo de esforzarse para no hacerle el amor allí mismo. Peter creía que si ocurría algo entre ellos lo estropearía todo. Ambos se sentirían consumidos por la culpabilidad y, además, sabían que no tenían otro futuro que el de la amistad, que no podían arriesgarse cometiendo una estupidez. Olivia se había mostrado de acuerdo a pesar de que su matrimonio era mucho más endeble que el de Peter, porque tener una aventura con él no haría más que complicar las cosas cuando volviera a París para hablar con Andy. No obstante, resultaba difícil mantener una relación platónica, limitada a los besos. Volvieron a hablar de ello cuando regresaron a la playa y se tumbaron sobre la arena. Charlaron también sobre sus infancias respectivas, la de ella en Washington y la de él en Wisconsin.

Olivia le preguntó por su familia y Peter le contó que su madre y su hermana habían muerto de cáncer, motivo por el que Vicotec era muy importante para él.

—Si hubieran dispuesto de un medicamento parecido, tal vez se habrían salvado —dijo con tristeza.

—Tal vez —convino ella—, pero a veces no se puede ganar por muchas drogas milagrosas que tengas. —Ellos lo habían intentado todo y tampoco habían podido salvar a Alex.

»¿Tenía hijos tu hermana? —Peter asintió con los ojos llenos de lágrimas, perdidos en el horizonte—. ¿Van a visitarte?

Peter sintió remordimientos. Miró a Olivia a la cara y supo que no había obrado bien. De repente, junto a ella, sintió deseos de cambiar muchas cosas del pasado.

—Mi cuñado se fue a vivir a otro estado y se casó con otra mujer antes de que transcurriera el año. No supe nada de él durante mucho tiempo. No sé por qué, tal vez quería dejar atrás su vida anterior. No me llamó para decirme dónde estaba hasta que necesitó dinero. Creo que tenía ya un par de hijos más con su segunda mujer. Katie me convenció de que había pasado demasiado tiempo, de que seguramente a mis sobrinos ya no les importaba, que ni siquiera se acordarían de mí. Lo dejé correr y ya no he sabido nada más de ellos. Vivían en un rancho, en Montana. Algunas veces creo que Katie prefiere que yo no tenga más familia que ella, los chicos y Frank. Ella y mi hermana no se entendieron, y Katie se puso furiosa porque mi padre le dejó la vaquería a mi hermana y a mí nada. Creo que hizo bien. Yo no la necesitaba. —Volvió a mirar a Olivia, consciente de su falta—. Hice mal en dejar que mis sobrinos desaparecieran completamente de mi vida. Debería haber ido a Montana.

—Aún podrías hacerlo —dijo Olivia.

—Me gustaría. Si es que aún siguen allí.

—Apostaría a que los encontrarás si lo intentas.

Peter asintió, comprendiendo que debía hacerlo, pero le sobresaltó la siguiente pregunta de Olivia.

—¿Y si no te hubieras casado con Kate? —inquirió. Le gustaba hacerle preguntas capciosas que lo ponían en un brete.

—Entonces no hubiera tenido éxito en los negocios —respondió él.

Olivia meneó la cabeza.

—Estás muy equivocado. Y ése es todo tu problema —dijo sin vacilar—. Crees que todo lo que tienes se lo debes a ella: el trabajo, el éxito, incluso la casa de Greenwich. Eso es una tontería. Hubieras tenido una carrera igualmente brillante tú solo. No fue ella quien lo consiguió, sino tú.

Tenías el talento necesario para conseguirlo, aun en Wisconsin. Fíjate en Vicotec. Tú mismo has dicho que ha sido obra tuya.

—Pero aún no lo he conseguido —repuso él.

—Lo harás. A pesar de lo que diga Suchard. Un año, dos, diez, qué más da. Lo harás. Y si ese producto no funciona, será otro. No tiene nada que ver con quién estés casado. No voy a negar que los Donovan te dieron una oportunidad de oro, pero otras personas también lo hubieran hecho. Además, qué me dices de todo lo que les has dado tú. Peter, crees que lo han hecho por ti y aún te sientes en deuda. Lo has hecho todo tú y ni siquiera te has dado cuenta.

Aquella nueva perspectiva sorprendió a Peter. Al escucharla sintió una nueva confianza en sí mismo, algo que Katie nunca le había dado.

Al final de la tarde volvieron al hotel de Olivia. Pidieron ensalada *niçoise*, pan y queso para comer en la terraza. Peter consultó su reloj y comprendió que debía emprender el regreso a París, pero después de pasarse el día nadando y conteniendo la pasión que sentía por Olivia, estaba demasiado cansado para moverse, y mucho más para conducir diez horas seguidas.

—No creo que debas hacerlo —le dijo ella, tan atractiva con su bronceado, y con expresión preocupada—. Hace dos días que no duermes como Dios manda, y no llegarías a París hasta las cuatro de la mañana aunque salieras ahora mismo.

—Debo admitir —dijo él, agradablemente perezoso— que no me atrae demasiado, pero he de volver. —Antes había llamado al Ritz. No tenía mensajes, pero le parecía necesario volver por si le llamaba Suchard, o Katie, o Frank.

—¿Por qué no te quedas a pasar la noche y te vas mañana?

—¿Volverás conmigo si lo hago?

—Quizá —contestó ella, con una expresión enigmática mientras contemplaba el mar.

—Muy bien, muy bien —dijo él por fin. En realidad también prefería descansar por una noche.

Sin embargo, cuando fueron a recepción comprobaron que no quedaban habitaciones individuales. Era un hotel pequeño, de sólo cuatro habitaciones, de las que Olivia tenía la mejor: una doble con vistas al mar. Permanecieron en silencio por un rato.

—Puedes dormir en el suelo —dijo ella por fin con una sonrisa maliciosa, haciendo honor a su acuerdo.

—Duele admitirlo —replicó él—, pero es la mejor oferta que he tenido en mucho tiempo. La acepto.

—Bien. Y yo prometo portarme como una niña buena. Palabra de exploradora. —Levantó dos dedos y él fingió decepción.

—Eso es aún más doloroso.

Salieron del hotel riendo y cogidos del brazo para comprar una camiseta, una maquinilla de afeitar y unos tejanos para Peter. En la tienda local encontraron una camiseta con el logotipo de Fanta y unos tejanos que le sentaban de maravilla. Peter insistió en afeitarse antes de la cena, a la que acudió con un aspecto inmejorable. También Olivia estaba encantadora con un conjunto blanco de algodón, de falda y camiseta sin espalda, y unas alpargatas. No parecía la misma persona sobre la que Peter tanto había leído. Había algo muy dulce en los sentimientos que tenían el uno por el otro, y su renuncia al placer físico era muy romántica, con un regusto antiguo.

Se cogieron de la mano y se besaron. Dieron un largo paseo por la playa a medianoche y, oyendo música en la distancia, bailaron en la arena, muy apretados.

—¿Qué vamos a hacer cuando volvamos? —le preguntó él por fin, mientras estaban sentados, oyendo aún la música—. ¿Qué voy a hacer sin ti?

—Lo que siempre has hecho —respondió ella tranquilamente. No tenía intención de romper el matrimonio de Peter, ni de animarle a hacerlo. No tenía derecho, aunque ella se separara de Andy. Y además, a pesar de su atracción mutua, en muchos aspectos apenas le conocía.

—¿Qué es lo que siempre he hecho? —preguntó Peter con tono desdichado—. Ya no lo recuerdo. Ahora todo me parece irreal. Ni siquiera sé si era feliz. —Lo peor era que empezaba a sospechar que no.

—Tal vez eso no importe. A lo mejor no es necesario que te hagas esas preguntas. Ahora estamos juntos... luego tendremos el recuerdo de este día. Eso me ayudará durante mucho tiempo.

Ambos sabían la verdad de la vida de Peter, que se había rendido sin saberlo. Siempre había encontrado excusas para dejar que Kate y Frank lo decidieran todo, tanto en casa como en el trabajo. Era algo que había sucedido gradualmente. Pero ahora que lo veía con los ojos de Olivia le asombraba que lo hubiese ignorado durante tanto tiempo.

—¿Qué voy a hacer sin ti? —preguntó Peter, atrayéndola hacia sí. Había sobrevivido cuarenta y cuatro años sin ella, pero de pronto no podía soportar la idea de separarse de Olivia ni un instante.

—No pienses en ello —dijo ella y le besó. Necesitaron de toda su fuerza de voluntad para separarse y volver lentamente al hotel, abrazados.

—A lo mejor tienes que pasarte toda la noche en blanco echándome agua fría —dijo Peter con una alegre sonrisa, mientras subían a la habitación.

—Lo haré —prometió Olivia, también sonriente.

Aún no había llamado a Andy y no parecía tener intención de hacerlo. Peter no volvió a mencionarlo, porque consideraba que esa decisión le correspondía a ella. No obstante, le extrañaba su tozudez, y no sabía si Olivia quería castigar a su marido, o sencillamente le daba miedo hablar con él.

Cuando entraron en la habitación, Olivia le entregó todas las almohadas y una de las mantas, y le ayudó a montar una cama improvisada sobre la alfombra junto a la cama. Peter dormiría con los tejanos y la camiseta y los pies descalzos, y Olivia se puso el camisón en el cuarto de baño. Finalmente se acostaron, él en el suelo y ella en la cama, y hablaron en la oscuridad cogidos de la mano durante horas. Eran casi las cuatro de la madrugada cuando Olivia se quedó dormida. Peter se levantó con sigilo, la arropó, la miró dormir con aspecto infantil, y se inclinó para darle un leve beso. Luego volvió a tumbarse en el suelo y pensó en ella hasta el amanecer.

6

Eran casi las diez y media de la mañana cuando despertaron. El sol bañaba la habitación. Olivia despertó primero y lo miró desde la cama. Sonrió cuando Peter abrió los ojos.

—Buenos días —susurró alegremente. Peter soltó un gruñido y se puso de espaldas. A pesar de la alfombra y la manta, el suelo era muy duro y él se sentía cansado—. ¿Estás entumecido? —Olivia se ofreció a darle un masaje en la espalda.

—Me encantaría —dijo Peter con una sonrisa, y se colocó boca abajo con otro gruñido.

Olivia también se tumbó boca abajo sobre la cama y le frotó el cuello suavemente mientras él permanecía con los ojos cerrados.

—¿Has dormido bien? —preguntó ella, pasando a los hombros e intentando no pensar en lo suave que era su piel.

—He pensado en ti toda la noche —confesó Peter—. Definitivamente me he portado como un caballero, o quizá sea sólo un síntoma de que me estoy haciendo viejo. —Se dio la vuelta y miró a

Olivia. Cogió sus manos, se irguió con facilidad y la besó.

—He soñado contigo —dijo ella, cuando él se sentó en el suelo a su lado y jugueteó con sus cabellos, mientras la besaba una y otra vez.

—¿Qué ocurría en el sueño? —susurró él mientras la besaba en el cuello.

—Estaba nadando en el océano y empezaba a hundirme... entonces acudías y me salvabas. Creo que es un símbolo de lo ocurrido desde que te conocí. Estaba hundiéndome cuando nos encontramos.

Peter la miró, se hincó de rodillas, la rodeó con los brazos y la besó apasionadamente. De repente empezó a acariciar sus pechos bajo el camisón. Olivia gimió levemente y quiso recordarle sus promesas mutuas, pero repentinamente las olvidó y le atrajo con fuerza hacia sí.

Sus besos eran cada vez más apasionados. Poco después yacían sobre la cama con los cuerpos entrelazados. Se besaron y exploraron mutuamente durante largo rato. Peter la besaba como si quisiera que ella formara parte de él y siguieran juntos para siempre.

—Peter... —susurró ella, ávida de sus besos y sus caricias, apretándose contra él.

—Olivia... no... no quiero que después lo lamentes. —Peter intentaba ser responsable, por el bien de ella, más que por el suyo propio o el de Kate, pero ya no había vuelta atrás.

Sin pronunciar palabra, Olivia le quitó los tejanos y la camiseta, y él hizo lo propio con el camisón. Estuvieron haciendo el amor casi hasta el mediodía. Luego se quedaron tumbados uno en brazos del otro, completamente saciados y extenuados, pero felices. Olivia le miró sonriente.

—Peter... te quiero...

—Eso me alegra —dijo él, estrechándola contra sí con fuerza—, porque nunca he querido a nadie tanto como a ti. Supongo que no soy un caballero después de todo —añadió con un leve tono de remordimiento.

—Y yo me alegro de que no lo seas —replicó Olivia con un suspiro de satisfacción.

Guardaron silencio un largo rato, agradeciendo cada momento compartido. Finalmente, conscientes de que tendrían que separarse, volvieron a hacer el amor por última vez.

Cuando por fin se levantaron, Olivia se aferró a él y lloró. No quería dejarle. Había decidido volver con él a París. A las cuatro de la tarde abandonaron el hotel con todo el aspecto de dos niños a los que acabaran de desterrar del jardín del Edén.

Se detuvieron a comprar vino y unos emparedados y los comieron en la playa, mirando el océano.

—Te imaginaré aquí, si vuelves —dijo él con tristeza.

—¿Vendrás a verme? —preguntó Olivia, sonriendo melancólicamente, con los cabellos sobre los ojos y granos de arena en la mejilla que había apoyado al tumbarse.

Peter permaneció largo rato sin responder. Sabía que no podía hacer promesas. Aún estaba casado con Kate y apenas una hora antes Olivia había dicho que lo comprendía. Ella sólo pretendía conservar el recuerdo de los dos últimos días para siempre.

—Lo intentaré —dijo por fin. En realidad ya habían convenido en que su aventura no podía continuar. Había terceras personas de por medio, y los periodistas que perseguían a Olivia a todas partes les harían la vida imposible si intentaban verse.

—Me gustaría volver y alquilar una casa —dijo Olivia con tono solemne—. Creo que aquí podría escribir.

—Deberías intentarlo —dijo Peter, besándola.

Arrojaron a una papelera los restos de la comida y permanecieron de pie unos instantes, cogidos de la mano frente al mar.

—Me gustaría pensar que un día volveremos aquí. Juntos, quiero decir —afirmó Peter, prometiendo lo que antes no había osado decir, que aún les quedaba una leve y tenue esperanza de futuro. O quizá sólo otro día y un nuevo recuerdo.

—Tal vez lo hagamos —dijo ella—. Si el destino lo quiere, tal vez sea así.

Sin embargo, tenían muchos obstáculos que vencer, de lo que ambos eran conscientes. Caminaron lentamente hacia el coche de Peter. Olivia había comprado comida para el viaje, que colocó en el asiento de atrás, esperando que Peter no viera sus lágrimas. Pero, aunque no las vio, Peter las percibió en su corazón.

La estrechó contra sí y, mientras miraban el mar por última vez, le dijo lo mucho que la quería. Olivia le contestó de igual forma y volvieron a besarse. Por fin subieron al coche y emprendieron el viaje de regreso a París.

Durante largo rato apenas hablaron. Después volvieron a relajarse y pudieron charlar sobre lo que les había sucedido, intentando asimilarlo, convertirlo en parte de sus vidas y aceptar sus inevitables limitaciones.

—Va a ser muy duro —dijo Olivia, sonriendo entre las lágrimas que manaban a su pesar; en ese momento pasaban por Vierrerie—, saber que estás en alguna parte y que no puedo estar contigo.

—Lo sé —dijo Peter con un nudo en la garganta—. Pensaba lo mismo cuando hemos salido del hotel. Me volveré loco. ¿Con quién voy a hablar? —Después de hacer el amor Peter sentía que, de alguna manera, Olivia le pertenecía.

—Podrías llamarme de vez en cuando —dijo ella—. Yo te diría dónde estoy.

—No me parece justo para ti —señaló Peter, porque ambos sabían que, en cualquier caso, él seguiría casado. Había ciertos riesgos en su aventura, pero nada habría variado si no hubieran hecho el amor. En realidad todo habría sido más difícil, porque les faltaría ese recuerdo con el que seguir adelante.

—Tal vez podríamos encontrarnos en algún sitio dentro de seis meses, sólo para saber qué ha sido de nuestra vida. —Por un momento Olivia se ruborizó al recordar una de sus películas favoritas, de Cary Grant y Deborah Kerr, con la que había llorado muchas veces cuando era una adolescente—. Podríamos encontrarnos en el Empire State Building —dijo, medio en broma medio en serio, pero Peter se apresuró a negar con la cabeza.

—No sirve. Tú no vendrías. Yo me pondría furioso y tú acabarías en una silla de ruedas. Inténtalo con otra película —dijo Peter con una sonrisa, haciendo que Olivia se echara a reír.

—¿Qué vamos a hacer? —preguntó, mirando por la ventanilla con expresión triste.

—Volver a nuestra vida anterior. Ser fuertes. Creo que para mí será más fácil. Yo era tan estúpido y estaba tan ciego que ni siquiera me daba cuenta de lo desgraciado que me sentía. Lo único que debo hacer es fingir que no ha ocurrido nada, como si no hubiera comprendido la verdad durante mi semana en París. ¿Cómo iba a explicar todo esto?

—Quizá no tengas que hacerlo. —Olivia se preguntó qué pasaría con la vida de Peter si los resultados de Vicotec eran malos.

—Podrías escribirme, Olivia —sugirió Peter—. Al menos para decirme dónde estás. Me volveré loco si no lo sé. ¿Lo prometes?

—Pues claro.

Siguieron hablando mientras iba anocheciendo. Llegaron a París hacia las cuatro de la madrugada. Peter detuvo el coche a varias manzanas del hotel.

—¿Puedo invitarte a una taza de café? —preguntó, recordando la noche en la place de la Concorde.

—Puedes invitarme a lo que quieras, Peter Haskell —dijo ella con una sonrisa.

—Lo que quisiera darte no se puede comprar —dijo él—. Te amo. Y seguramente te amaré durante el resto de mi vida. Para mí no habrá nunca otra como tú. Nunca la ha habido. Recuérdalo, estés donde estés: te amo. —Le dio un largo y apasionado beso. Se abrazaron como si fueran dos condenados a muerte.

—Yo también te amo, Peter. Ojalá pudieras llevarme contigo.

—Ojalá.

Peter volvió a poner el coche en marcha para estacionar en el extremo más alejado de la place Vendôme con respecto al hotel. Olivia no llevaba equipaje. Se besaron por última vez y luego ella se marchó con lágrimas en los ojos en dirección al hotel.

Peter permaneció sentado en el coche durante largo rato, pensando en ella y mirando fijamente la entrada del hotel. Olivia le había prometido que esta vez no volvería a desaparecer. Y si lo hacía, Peter quería que acudiera a él, o al menos que le hiciera saber dónde estaba. Le preocupaba que pudieran volver a explotarla y utilizarla si no dejaba a su marido. También le preocupaba el momento en que él regresara a Connecticut y si Kate se daría cuenta de que había cambiado algo entre ellos. ¿O no había cambiado nada? Olivia le había hecho comprender que su éxito se lo debía a sí mismo, pero Peter seguía creyendo que le debía gran parte a Kate. No podía abandonarla. Tendría que seguir con ella como si nada hubiera ocurrido. El tiempo pasado con Olivia no era más que un sueño, un instante, un diamante encontrado en la arena y sostenido unos segundos entre los dedos. Kate era su pasado, su presente y su futuro. El problema era que él tenía el corazón destrozado. Mientras caminaba hacia el hotel pensó que no podría soportarlo.

Cuando abrió la puerta de su habitación, vio un

pequeño sobre en la mesilla. El doctor Paul-Louis Suchard había telefoneado y solicitaba que Peter le llamara lo antes posible.

Peter había vuelto a la vida real, a las cosas que de verdad le importaban. En algún lugar lejano, perdida ya entre la bruma, se hallaba la mujer que había encontrado pero que nunca sería suya, la mujer a la que tanto amaba.

Salió al balcón para pensar en Olivia. Tal vez todo había sido un sueño. La place de la Concorde... el café de Montmartre... la playa de La Favière... A pesar de sus sentimientos, tenía que olvidarlo.

7

Cuando le llamaron a las ocho para despertarle, Peter estaba dormido como un tronco. En cuanto colgó el teléfono se preguntó por qué se sentía tan mal, como si tuviera plomo en el alma. Súbitamente lo recordó. Ella se había ido. Todo había terminado. Tenía que llamar a Suchard, volver a Nueva York y enfrentarse con su suegro y su mujer.

Mientras se duchaba le pareció increíble sentirse tan desgraciado pensando en Olivia pero intentando dirigir sus pensamientos hacia los asuntos de los que tenía que ocuparse esa mañana.

Llamó a Suchard a las nueve en punto, pero éste se negó a darle los resultados por teléfono e insistió en que Peter fuera a verle a los laboratorios. Las pruebas habían concluido. Sólo quería una hora de su tiempo, luego Peter podía coger el avión de las dos de la tarde. Aunque molesto porque Suchard no quisiera hacerle un breve resumen por teléfono, accedió a ir a su despacho a las diez y media.

Pidió café y cruasanes, pero no pudo tomar absolutamente nada. Salió del hotel a las diez y llegó al despacho de Suchard con diez minutos de antelación. Éste le aguardaba con expresión sombría. Sin embargo, los resultados no eran tan malos como Peter había temido. Uno de los componentes esenciales de Vicotec era peligroso y posiblemente tendrían que buscarle un sustituto, pero no tenían por qué desechar todo el producto. Tenía que ser «reformulado», como decía Suchard, lo que significaba un largo proceso. Al ser urgido por Peter, admitió que los cambios podían efectuarse en seis meses o un año, tal vez menos, si ocurría un milagro, aunque lo dudaba. Lo normal era que tardaran dos años. Tal vez si le añadían nuevos componentes lo conseguirían antes, pero la sustancia, tal como la habían diseñado y pretendían comercializarla, era letal. Suchard hizo algunas sugerencias sobre los cambios y la manera de hacerlos, pero Peter sabía que a Frank no le parecería una buena noticia, puesto que no podrían presentar el producto en la audiencia solicitada a la FDA para septiembre.

Peter agradeció a Suchard su dictamen y volvió al hotel en taxi intentando hallar las palabras para contárselo a Frank. Las palabras exactas resonaban en sus oídos con incómoda persistencia: «Tal como está ahora, Vicotec es un asesino.» Tampoco tenía muchas esperanzas de que Kate se lo tomara bien, ya que detestaba cuanto pudiera inquietar a su padre. Sin embargo, ambos tendrían que comprenderlo.

Una vez en su habitación hizo las maletas, pero antes de marcharse puso las noticias. Y allí estaba ella. La gran noticia del día era la aparición de Olivia Douglas Thatcher. La historia que contaban era demasiado pintoresca para ser cierta, y no lo era, claro está. Según ellos, se disponía a encontrarse con un amigo cuando tuvo un pequeño accidente de coche y sufrió una leve amnesia durante tres días. Al parecer nadie en el pequeño hospital donde la atendieron la había reconocido ni había visto las noticias, pero la noche anterior, milagrosamente, había recuperado la memoria y se había reunido felizmente con su marido.

—Menuda noticia —comentó Peter, meneando la cabeza con disgusto.

Vio las mismas viejas fotografías de Olivia y luego una entrevista con un neurólogo al que preguntaron por las posibilidades de daños cerebrales permanentes tras una conmoción cerebral. Finalmente concluyeron deseando a la señora Thatcher una completa y rápida recuperación.

—Amén —dijo Peter y apagó el televisor.

Miró alrededor por última vez y cogió el maletín. La maleta ya la habían bajado y no le quedaba más que irse. Sin embargo, esta vez sentía una extraña sensación de nostalgia al dejar aquella habitación. De repente sintió deseos de correr escaleras arriba para ir a ver a Olivia. Llamaría a la puerta de su suite, diría que era un viejo amigo... y seguramente Andy Thatcher pensaría que era un loco. Peter se preguntó si sospecharía algo sobre lo ocurrido los últimos días, o si le importaba. La historia que había difundido la prensa era ridícula y a Peter le hubiera gustado saber a quién se le había ocurrido.

Peter bajó al vestíbulo. Cuando pasó por recepción había una nueva oleada de recién llegados registrándose. En el exterior halló un nutrido grupo de hombres con radiotransmisores y audífonos, y entonces la vio a lo lejos. Olivia entraba en aquel momento en una limusina en la que se encontraba su marido junto con dos hombres más, enzarzados en una conversación. Olivia pareció percibir la presencia de Peter, porque se volvió para mirar por encima del hombro. Se detuvo, hipnotizada, y clavó la vista en él durante un momento. Peter temió que alguien pudiera darse cuenta. Asintió levemente y por fin Olivia subió a la limusina y la puerta se cerró. Peter se quedó mirándola desde la acera, incapaz de distinguirla a través de los cristales oscuros.

—Su coche le espera, monsieur —le dijo el portero, ansioso por evitar un atasco en la puerta del Ritz. Dos modelos intentaban salir también en dirección a un rodaje y la limusina de Peter se lo impedía. Se estaban poniendo muy nerviosas y gesticulaban.

—Lo siento. —Le dio propina al portero y subió al coche. El chófer se dirigió velozmente hacia el aeropuerto.

Andy llevaba a Olivia a visitar a dos congresistas y al embajador en la sede diplomática de Estados Unidos. Era una reunión prevista desde principios de semana y había insistido en que Olivia le acompañara. Al principio se había puesto furioso con su mujer por el revuelo causado con su desaparición, pero al cabo de una hora de su regreso decidió que en realidad le había sido muy útil. Él y sus asesores habían diseñado una serie de estrategias encaminadas a despertar simpatías, sobre todo con la perspectiva de las elecciones presidenciales. Andy quería convertir a su mujer en una nueva Jackie Kennedy. Olivia tenía el aspecto adecuado y el mismo aire desvalido, además de elegancia natural y valor ante la adversidad. Los asesores de imagen habían decidido que era perfecta. Tendrían que prestarle más atención que en el pasado y mimarla un poco.

Sin embargo, tendría que abandonar su costumbre de desaparecer intempestivamente. Ya lo había hecho en otras ocasiones después de la muerte de Alex, unas cuantas horas y una noche entera; normalmente para irse a casa de su hermano o de sus padres. Esta vez había durado más, pero Andy no había pensado que estuviera en peligro. Sabía que acabaría apareciendo; sólo esperaba que no cometiera ninguna estupidez mientras tanto. Habló con ella de todo esto antes de salir hacia la embajada y le explicó lo que se esperaría de ella en el futuro. Al principio Olivia se negó a ir y protestó vehementemente por la historia inventada para la prensa.

—Parezco una completa idiota —se quejó—, y con el cerebro dañado, además.

—No nos has dejado muchas opciones. ¿Qué querías que dijéramos? ¿Que habías estado completamente borracha en un hotel de la orilla izquierda durante tres días? ¿O acaso la verdad? ¿Cuál es la verdad, por cierto, si es que se puede saber?

—No es nada tan interesante como lo que tú podrías inventar. Necesitaba estar sola, eso es todo.

—Ya —dijo él. Él mismo desaparecía con frecuencia, pero era más sutil que su mujer—. La próxima vez podrías dejarme una nota, o decírselo a alguien.

—Iba a hacerlo —dijo ella, un poco avergonzada—, pero no estaba segura de que fueras a echarme en falta.

—¿Acaso crees que soy ciego? —dijo él con expresión de fastidio.

—¿Y no es cierto, al menos en lo que respecta a mí? —En ese momento consiguió reunir valor y dijo lo que estaba pensando desde el principio—. Esta tarde quiero hablar contigo. Quizá cuando volvamos de la embajada.

—Tengo un almuerzo —dijo él, ya sin interés por su mujer. Olivia había vuelto, no le había puesto en una situación embarazosa y habían contentado a la prensa. La necesitaba en la embajada, pero después de eso tenía cosas más importantes en las que pensar.

—Esta tarde, pues —dijo ella fríamente. Había visto en los ojos de su marido que ya no tenía tiempo para ella. Era una mirada familiar.

—¿Ocurre algo? —preguntó él. Era extraño que quisiera hablar con él, pero no sospechaba nada.

—En absoluto. Tengo por costumbre desaparecer durante tres días. ¿Qué podría ocurrir?

A Andy no le gustó la expresión ni el tono de su esposa.

—Has tenido mucha suerte de que yo lo arreglara todo, Olivia. Yo de ti no me mostraría tan antipática. No puedes esperar que todo el mundo te reciba con los brazos abiertos y con una sonrisa cuando te vas por ahí sin decir nada. Si la prensa quisiera podría ponerte en aprietos, así que, ¿por qué no lo dejas ya?

—Lo siento —dijo ella—. No quería causarte problemas. —Andy no había mostrado en ningún momento preocupación por ella. Lo cierto era que ni siquiera había creído que pudiera pasarle nada. La conocía muy bien y estaba convencido de que, sencillamente, se había ocultado por voluntad propia—. ¿Por qué no hablamos cuando vuelvas de tus compromisos esta tarde? Puedo esperar hasta entonces. —Olivia intentó decirlo con tono tranquilo, pero seguía enojada con su marido. No dejaba de compararlo con Peter, y no salía muy favorecido.

Seguía pensando en Peter cuando llegaron a la embajada poco después. Al verle en la puerta del hotel había temido incluso traicionarse. Sabía que la prensa andaría detrás de ella durante una temporada. Seguramente sospechaban que la historia era inventada y aprovecharían cualquier cosa para husmear a placer.

Olivia siguió sumida en sus pensamientos durante todo el tiempo que permanecieron en la embajada. Andy no le pidió que comiera con él. Tenía una cita con un político francés. Cuando volvió a las cuatro, halló a Olivia en la salita de estar de la suite, sentada en una silla y mirando por la ventana, pensando en Peter, que volaba ya de camino a

Nueva York para reunirse con las personas que en realidad no le querían. Y ella estaba de nuevo en manos de sus explotadores, pero no por mucho tiempo.

—Bien, ¿qué es eso tan importante? —preguntó Andy al entrar. Iba acompañado de dos ayudantes, pero al ver el rostro severo de su esposa, los despidió rápidamente. Sólo había visto esa expresión en dos ocasiones: después de la muerte de su hermano y de la de su hijo Alex. El resto del tiempo Olivia parecía vivir en un mundo aparte, lejos de él.

—Tengo algo que decirte —empezó Olivia, aunque no estaba segura de por dónde empezar.

—Eso ya me lo había imaginado.

Olivia reconoció que su marido seguía siendo el hombre más apuesto que conocía, pero eso ya no conseguía deslumbrarla, ni siquiera le importaba. Sabía que era un hombre egoísta y ambicioso para el que ella poco significaba.

—Me voy —dijo Olivia simplemente, por fin.

—¿Te vas adónde? —preguntó él con perplejidad. Ni siquiera comprendía lo que intentaba decirle y Olivia se permitió una sonrisa.

—Te dejo —explicó—, tan pronto como volvamos a Washington. No puedo más. Por eso me fui unos días, para pensar en ello. Ahora estoy segura. —Olivia hubiera querido sentir pena por lo que estaba diciendo, pero no la sentía. Tampoco su marido; para él no era más que una sorpresa.

—No eres muy oportuna, precisamente —dijo Andy con aire pensativo, pero no le preguntó por qué le dejaba.

—No es cuestión de oportunidad. Nunca es

buen momento para estas cosas. Es como ponerse enfermo, siempre resulta inconveniente. —Estaba pensando en Alex. Su marido lo entendió y asintió. Andy sabía que su mujer no se había recuperado todavía de aquel golpe, ni tampoco su matrimonio.

—¿Existe algún motivo concreto que te lleve a tomar esa decisión? ¿Algo que te preocupe? —No se molestó en preguntar si había otro hombre. Creía conocer a su esposa perfectamente y estaba seguro de que no podía haberlo.

—Hay muchas cosas que me preocupan, Andy. Ya lo sabes. —Intercambiaron una larga mirada. Ni siquiera Andy podía negar que se habían convertido en dos extraños—. Nunca he querido ser la mujer de un político. Te lo dije cuando nos casamos.

—Eso no puedo evitarlo, Olivia. Las cosas cambian. Nunca pensé que matarían a Tom, pero las cosas son como son y uno hace todo lo posible por solucionarlas.

—Yo lo he hecho. He estado a tu lado. He hecho campaña contigo. He hecho cuanto esperabas de mí, pero ya no estamos casados, Andy, lo sabes muy bien. Hace años que te apartaste de mí, y ni siquiera sé quién eres ahora.

—Lo siento —dijo él con tono que parecía sincero, pero no se ofreció a cambiar las cosas—. Has elegido un mal momento para hacerme esto. —Le lanzó una mirada penetrante. Andy la necesitaba y no estaba dispuesto a dejarla marchar—. Yo también tenía que hablar contigo. No tomé la decisión hasta la semana pasada. Quería que tú fueras de los primeros en saberlo, Olivia. —«De los primeros», pero no la primera; ésa era la historia de su matrimonio—. Voy a presentar mi candidatura a la presidencia el año que viene. Eso lo es todo para mí, y voy a necesitar tu ayuda.

Olivia lo miró como si la hubiera golpeado con un bate de béisbol en la cabeza. En realidad no podía decir que no lo esperase, sabía que era una posibilidad, pero ahora se había convertido en algo real y, por el modo en que se lo decía, era como si le hubiera puesto una bomba de relojería en las manos.

—He estado pensando mucho en esto —continuó él—, porque sé lo que opinas sobre las campañas políticas, pero creía que incluso para ti tendría cierto atractivo ser la primera dama. —Andy lo dijo con una leve sonrisa, como animándola, pero Olivia estaba horrorizada. Lo último que deseaba en el mundo era ser la mujer del presidente.

—No tiene ningún atractivo para mí —replicó, sacudiendo la cabeza.

—Pero para mí sí —repuso él ásperamente—. Y no podré conseguirlo sin ti. No existen los presidentes separados, y mucho menos divorciados. Eso lo sabes perfectamente. —Mientras miraba a su esposa, tuvo una idea. Cuando menos tenía que salvar lo que pudiera de aquella situación, pero no hizo ningún esfuerzo por convencerla de que aún la amaba. Olivia era demasiado inteligente para creérselo después de todas las veces que la había engañado—. Déjame proponerte algo —dijo—. No es muy romántico pero tal vez satisfaga las necesidades de ambos. Yo te necesito, hablando en términos prácticos, durante los próximos cinco años al menos. Uno para la campaña y cuatro más para mi primera legislatura. Después de eso, o bien negociamos, o bien el país tendrá que adaptarse a nuestra situación. Tal vez haya llegado el momento de que la gente entienda que un presidente también es humano. Mira al príncipe Carlos y a lady Di. Si Inglaterra ha podido sobrevivir, nosotros también. —Andy se imaginaba ya presidente.

—No estoy segura de que nuestras circunstancias sean las mismas —dijo ella irónicamente, pero él no pareció darse cuenta.

—De todas formas —prosiguió Andy, concentrándose en hacer que su oferta resultara atractiva—, estamos hablando de cinco años. Eres joven, Olivia. Puedes permitírtelo, y eso te dará un estatus que no podrías tener de otra manera. La gente no sólo te tendrá lástima o sentirá curiosidad por ti, acabará adorándote. Mis chicos y yo podemos conseguirlo. —Olivia sintió náuseas, pero dejó que continuara—. Pondré quinientos mil dólares en una cuenta para ti al final de cada año, libres de impuestos. Al cabo de los cinco años tendrás dos millones y medio. —Alzó una mano para anticiparse a cualquier comentario—. Sé que no puedo comprarte, pero si vas a vivir por tu cuenta después de este período, el dinero te será muy útil. Y si tenemos otro hijo —sonrió—, te daré otro millón. Hemos estado pensando en eso recientemente. No quiero que la gente crea que nos ocurre algo extraño, como que somos homosexuales o que tú estás obsesionada por la tragedia. En realidad ya se comenta. Creo que es hora de que tengamos otro hijo.

Olivia no daba crédito a sus oídos. Cuando Andy decía «hemos estado pensando», se refería a él y a sus asesores. Era repugnante.

—¿Y por qué no alquilamos un niño? —replicó con frialdad—. Nadie se enteraría. Podríamos llevarlo con nosotros durante la campaña y devolverlo al acabar. Sería más fácil. Los bebés dan muchos problemas.

—Esos comentarios están fuera de lugar —dijo él tranquilamente, con todo el aire de lo que era: un niño rico que había ido a los mejores colegios privados y a la facultad de derecho de Harvard. Había heredado una fortuna de su familia y siempre había creído que todo se podía conseguir con dinero.

Pero Olivia no estaba dispuesta a tener otro hijo con él. En el caso de Alex nunca había estado con ella para ayudarla, ni siquiera durante su enfermedad. En parte por eso había resultado tan duro para Olivia y mucho más fácil para Andy.

—Tu proposición es repugnante. Es lo más asqueroso que he oído en mi vida —dijo Olivia con expresión ofendida—. Quieres comprar cinco años de mi vida a un precio razonable, y que tengamos otro hijo porque te ayudará a salir elegido. Acabaré vomitando si sigo escuchándote.

—Siempre te han gustado los niños. No veo cuál es el problema.

—Ya no me gustas, Andy, ése es el problema, al menos en parte. ¿Cómo puedes ser tan grosero e insensible? ¿Qué te ha ocurrido? —Las lágrimas le quemaban los ojos, pero Olivia no quería llorar por él. No se lo merecía—. Me encantan los niños, pero no voy a tener uno para la campaña electoral de un hombre que no me ama. ¿Qué sugieres, que lo hagamos por inseminación artificial? —Hacía meses que no mantenían relaciones sexuales, cosa que en realidad a ella no le importaba. Él no tenía tiempo y disponía de otros recursos que utilizaba regularmente, y ella había perdido el interés.

—Creo que exageras —dijo él, aunque se sentía algo turbado, pues era consciente de que ella tenía razón. Sin embargo, ya no podía echarse atrás. Quería ganar a toda costa. Le había dicho al director de su campaña que Olivia se negaría a tener otro hijo, porque había amado demasiado al primero, había sufrido demasiado con su muerte y temería perder a otro—. Muy bien, pero me gustaría que te lo pensaras. Digamos que sea un millón por año. Eso hacen cinco millones a los cinco años, y otros dos si tienes un hijo.

Olivia no tuvo más remedio que echarse a reír al ver la expresión seria de su marido.

—¿Crees que debería regatear hasta los dos millones por año y tres más por un niño? ¿Cuánto ganaría? —dijo, fingiendo considerar la propuesta—. Veamos... seis millones si tengo gemelos... nueve si tengo trillizos. Podría ponerme inyecciones de pergonal... incluso puede que tuviera cuatrillizos... —Olivia miró a su marido con profundo dolor. ¿Quién era aquel hombre en el que había creído en otro tiempo? ¿Cómo podía haberse equivocado tanto con él? Sabía que, al principio, también él era un ser humano con corazón. Por aquel hombre, y no por el que tenía ante sí, se había quedado a escuchar—. Si hiciera todo esto por ti, cosa que dudo, sería por un extraño sentido de la lealtad hacia ti, no por avaricia ni por dinero. –Si le hacía aquel último regalo, podría dejarle sin sentir remordimientos–. Sé cuánto deseas ganar.

–Lo significa todo para mí, Olivia –declaró él, pálido de pura vehemencia. Y Olivia supo que, por una vez, decía la verdad.

–Lo pensaré –afirmó Olivia. No sabía qué hacer. Por la mañana estaba segura de que volvería a La Favière antes de que acabara la semana, pero ahora estaba a punto de convertirse en primera dama. Sentía que le debía algo a su marido, que había sido el padre de su hijo. Ella podía ayudarle a conseguir lo que él más quería en la vida. Sería un regalo increíble.

–Quiero anunciarlo dentro de dos días. Mañana volvemos a Washington.

–Gracias por comunicármelo.

–Si te hubieras quedado te habrías enterado antes –replicó él con brusquedad, observándola y preguntándose por su decisión. Por un momento pensó en hablar con el padre de Olivia, pero temió que fuera más perjudicial que otra cosa.

Olivia pasó una noche horrible en el hotel, deseando ir a dar un largo paseo. Necesitaba tiempo para pensar, pero sabía que, lógicamente, sus guardaespaldas se mostrarían más atentos a sus movimientos. Le hubiera gustado hablar con Peter, saber qué opinaba él, si creía que Andy merecía aquel último gesto de lealtad o si pensaría que estaba loca. Cinco años parecían una eternidad, y más aún si Andy ganaba las elecciones.

A la mañana siguiente, no obstante, había tomado una decisión. Se encontró con su marido para desayunar. Andy estaba pálido y nervioso, no por la perspectiva de perderla, sino por el temor de que no le ayudara a ganar las elecciones.

—Supongo que debería decir algo elevado —comentó Olivia. Andy había pedido a su séquito que les dejaran a solas, cosa rara en él. Hacía un año que ella no estaba a solas con su marido, excepto en la cama, por la noche. Andy la miró con expectación, convencido de que iba a rechazar su propuesta—. Pero supongo que estamos de vuelta de todo eso, ¿no? No dejo de preguntarme cómo es posible que hayamos llegado a esto y de recordar cómo era al principio. Creo que entonces me amabas y no sé por qué ha cambiado todo. Recuerdo los hechos como si fueran noticiarios que se repiten una y otra vez en mi cabeza, pero no consigo descubrir el momento exacto en que todo empezó a ir mal. ¿Y tú?

—No creo que eso importe ya —contestó él con tono apagado. Creía que ella lo iba a rechazar y se decía que nunca la hubiera imaginado tan vengativa. Había tenido sus aventuras, se había portado mal con ella, pero nunca pensó que le importara. Comprendía ahora que había sido un estúpido—. Las cosas sencillamente ocurren con el tiempo. Y luego está la muerte de mi hermano. No sabes lo que eso significó para mí. Estabas allí, pero para mí fue diferente. De repente todo lo que se esperaba de él pasó a depender de mí. Tuve que dejar de ser quien era para convertirme en él. Supongo que tú y yo nos perdimos por el camino.

—Tal vez deberías habérmelo dicho entonces.

—Tal vez no deberían haber tenido a Alex, pensó. Tal vez debería haber dejado a su marido mucho antes. Pero también era cierto que no hubiera cambiado los dos años de vida de Alex por nada en el mundo. Al mirar a Andy se dio cuenta de que tenía que darle una respuesta rápida y se apresuró a no prolongar su agonía—. He decidido quedarme contigo cinco años más, a millón por año. No tengo ni idea de lo que haré con ese dinero, si entregarlo para obras benéficas, comprarme un castillo en Suiza, o establecer un fondo de investigación con el nombre de Alex; lo que sea, ya lo pensaré más adelante. Me has ofrecido un millón por año y acepto, pero con mis condiciones. Quiero que me garantices por escrito que al final de los cinco años podré irme libremente, tanto si te reeligen como si no. Y si pierdes esta vez, no habrá cinco años, me iré el día después de las elecciones. Y no aceptaré más fingimientos. Posaré para todas las fotos que quieras y viajaré contigo durante la campaña, pero tú y yo ya no estamos casados. Nadie tiene por qué saberlo, pero quiero que quede claro entre nosotros. Quiero un dormitorio aparte allá donde vayamos, y no habrá más hijos. —Era clara y concisa: todo había terminado entre ellos. Aun así, acababa de aceptar una condena a cinco años.

Andy estaba tan sorprendido que tardó en alegrarse.

—¿Cómo voy a explicar lo de los dormitorios separados? —preguntó, preocupado y complacido de repente. Había conseguido casi todo lo que quería, excepto un hijo, pero esto era una idea del director de su campaña.

—Diles que padezco de insomnio.

A Andy le pareció una buena idea, y supuso que, en cualquier caso, ya se les ocurriría una mentira para justificarlo, que él tenía mucho trabajo o que sufría una gran tensión en la presidencia.

—¿Y qué me dices de adoptar uno? —intentó negociar hasta el último momento.

—Olvídalo. No me interesa la compraventa de niños para políticos. No se lo haría a nadie, y menos a un niño inocente. Se merecen una vida mejor, y mejores padres. —Olivia pensaba que algún día tal vez desearía tener otro hijo, o incluso adoptarlo, pero no con Andy, y mucho menos si debía formar parte de un contrato sin amor como el que estaban discutiendo—. Y quiero todo esto firmado bajo contrato. Eres abogado, puedes redactarlo tú mismo. Quedará entre nosotros. No tiene por qué verlo nadie.

—Necesitarás testigos —dijo él con expresión divertida, pero absolutamente abrumado por la respuesta de su mujer después de lo que le había dicho el día anterior.

—Entonces busca a alguien en quien confíes —dijo ella, aunque sabía que una cosa así era una bomba y que cualquiera de los que rodeaban al senador podía traicionarle.

—No sé qué decirte —comentó él, asombrado.

—No queda mucho por decir, ¿no te parece, Andy?

En un solo movimiento, el senador se presentaba a las elecciones presidenciales y daba por terminado su matrimonio. A Olivia le entristeció pensar en ello, pero ya ni siquiera eran amigos.

Iban a ser cinco largos años para ella si Andy ganaba, cosa que, por su propio bien, esperaba que no ocurriera.

—¿Qué te ha hecho aceptar? —preguntó Andy.

—No lo sé. Me ha parecido que te lo debía. No creo que yo tenga el poder de darte o negarte algo que tanto deseas. Tú no me niegas nada de lo que realmente quiero, salvo la libertad. Quiero dedicarme a escribir, pero eso puede esperar. —Olivia miró a su marido y éste se dio cuenta por primera vez en años de que en realidad nunca había llegado a conocerla de verdad.

—Gracias, Olivia —dijo, poniéndose en pie.

—Buena suerte —contestó ella.

Andy asintió y se fue sin mirarla. Entonces ella se dio cuenta de que ni siquiera le había dado un beso de despedida.

8

Cuando el avión de Peter aterrizó en el aeropuerto Kennedy, había una limusina esperándole que había pedido él mismo antes de llegar, y en la oficina le aguardaba Frank. Aunque las noticias que tenía que darle no eran tan malas como temía al principio, para su suegro serían sorprendentes y se necesitarían muchas explicaciones.

El tráfico para entrar en la ciudad estaba imposible. Era viernes por la tarde y los coches formaban atascos por doquier. Peter llegó a la Wilson-Donovan, completamente exhausto, a las seis de la tarde. Se había pasado varias horas repasando los informes y notas de Suchard en el avión y, por una vez, no pensaba en Olivia, sino en Vicotec y en su futuro. Lo peor era que tendrían que cancelar la audiencia pedida a la FDA, lo que para Frank supondría una amarga decepción.

Su suegro le aguardaba arriba, en el piso 45 de la Wilson-Donovan, en el amplio despacho de la esquina que había ocupado durante casi cuarenta años, desde que la empresa se había trasladado a aquel edificio. La secretaria ofreció una copa a Peter cuando llegó, pero él sólo quería un vaso de agua.

—¡Así que lo has conseguido! —Frank tenía un aire elegante y jovial con su oscuro traje a rayas y su cabellera blanca. Peter vio con el rabillo del ojo una botella de champán francés en un cubilete de plata—. ¿A qué viene tanto secreto? Parece una novela de espías.

Se estrecharon la mano y Peter preguntó a su suegro si se encontraba bien, aunque saltaba a la vista que su salud era excelente, a pesar de sus setenta años. Seguía teniendo energías para dirigirlo todo, e incluso parecía que daba una orden cuando pidió a Peter que le contara lo ocurrido en París.

—He visto a Suchard hoy —dijo Peter, sentándose y deseando habérselo adelantado por teléfono para que no resultara todo tan imprevisto. La botella de champán sin descorchar parecía mirarle como acusándole—. Ha tardado mucho en completar las pruebas, pero creo que merecía la pena. —Peter notó que las piernas le temblaban como a un chiquillo.

—¿Qué significa eso? Han sido positivas, espero. —Miró a su yerno con los ojos entrecerrados.

Peter sacudió la cabeza.

—Me temo que no, Frank. Uno de los componentes secundarios tuvo un comportamiento absolutamente negativo durante la primera ronda de pruebas y Suchard no quiso dar el visto bueno hasta repetirlas todas para comprobar si teníamos un problema grave, o si sus sistemas de control habían fallado.

—¿Y cuál de las dos posibilidades era? —Frank tenía ahora una expresión seria.

—Nuestro producto, me temo. Sólo hay un elemento que cambiar. Cuando lo hagamos, lo habremos conseguido. Pero ahora mismo, en palabras de Suchard, tal como está, Vicotec es un asesino.

Frank se limitó a menear la cabeza con incredulidad y a recostarse en su silla.

—Eso es ridículo. Sabemos que no es cierto. Fíjate en lo que han dicho en Berlín y en Ginebra. Han tardado meses en realizar sus pruebas y siempre han dado buenos resultados.

—Pero no en París. No podemos pasarlo por alto. Al menos parece que se trata de un solo componente, y Suchard cree que puede cambiarse con relativa facilidad.

—¿Cómo de relativa? —inquirió Frank, frunciendo el entrecejo.

—Cree que, si tenemos suerte, la investigación podría llevarnos de seis meses a un año. De lo contrario, dos años tal vez. Pero si doblamos nuestros equipos podríamos tenerlo listo para el próximo año. —Lo había calculado todo meticulosamente en su ordenador portátil durante el vuelo.

—Eso es absurdo. Vamos a pedir la licencia de comercialización a la FDA dentro de tres meses. No tenemos más tiempo que ése. Es cosa nuestra conseguirlo. Haz venir a ese francés idiota para ayudar, si es necesario.

—No podemos hacerlo en tres meses —dijo Peter, horrorizado por las palabras de su suegro—. Es imposible. Tenemos que retirar nuestra petición a la FDA y posponer la audiencia.

—¡Ni hablar! —exclamó Frank—. Quedaríamos en ridículo. Tienes tiempo de sobra para pulir los defectos antes de que salga al mercado.

—Pero si no lo conseguimos y nos dan la licencia de comercialización, correremos un grave riesgo. Ya has oído lo que dice Suchard. Es peligroso. Frank, yo quiero el producto en el mercado más que nadie en el mundo, pero no voy a sacrificar vidas para conseguirlo. —Sobre todo teniendo en cuenta que pensaban pasar por alto la fase de pruebas con animales para ir directamente a la clínica con seres humanos.

—Óyeme bien —insistió su suegro con los dientes apretados—: tienes tres meses para solucionar los problemas antes de la audiencia, o seis antes de que lo saquemos al mercado.

—No voy a presentar un producto peligroso a la FDA, Frank. ¿Entiendes? —dijo Peter, alzando la voz, cosa nueva en él. Estaba cansado, acababa de realizar un largo vuelo y no había dormido una noche entera en varios días. Además, Frank se estaba comportando como un lunático—. ¿Me oyes? —repitió.

Frank sacudió la cabeza con furia silenciosa.

—No. Ya sabes lo que espero de ti. Ahora hazlo. No voy a tirar más dinero para investigaciones. O funciona ahora, o no funciona. ¿Queda claro?

—Perfectamente —respondió Peter, recuperada ya la calma—. Entonces supongo que no funcionará nunca. Es decisión tuya si quieres invertir más dinero en investigación o no.

—Te doy tres meses —dijo Frank, lanzándole una mirada llena de ira.

—Necesito más tiempo, Frank. Lo sabes.

—Me importa un bledo. Tú asegúrate de que todo esté listo para la audiencia de septiembre.

Peter hubiera querido decirle que estaba loco, pero no se atrevió. Nunca antes le había visto tomar decisiones peligrosas, y menos como aquélla, que podía destruir su propia empresa. A Peter sólo le quedaba esperar que recobrara el buen juicio tarde o temprano.

—Siento ser portador de malas noticias —dijo Peter, preguntándose si Frank esperaba de él que le llevara a Greenwich en la limusina. De ser así, iba a ser un trayecto largo e incómodo, pero Peter estaba dispuesto a hacerlo.

—Creo que Suchard ha perdido la cabeza —dijo Frank, indignado. Atravesó su despacho a grandes zancadas y abrió la puerta, indicando así a Peter que se marchara.

—Yo también sufrí una gran decepción —confesó, pero al menos él se había mostrado más razonable que Frank, que no parecía comprender las posibles implicaciones. No se podía pedir licencia para un producto que todavía era peligroso, y menos aún probarlo con seres humanos.

—¿Por eso te has quedado en París toda la semana? —quiso saber Frank, aún furioso.

—Sí. Pensé que tardaría menos en completar las pruebas si me quedaba allí esperando.

—Tal vez no deberíamos habernos molestado en pedirle que las hiciera.

Peter no daba crédito a sus oídos.

—Estoy seguro de que no pensarás igual cuando hayas reflexionado y leído los informes. —Peter le tendió un fajo de papeles que sacó de su maletín.

—Dáselos al departamento de investigación —ordenó Frank, apartándolos con un gesto de impaciencia—. No pienso leer esa basura. Lo único que pretenden es retrasarnos sin necesidad. Ya sé cómo trabaja Suchard. No es más que una vieja gallina asustada.

—Es un científico de prestigio internacional —dijo Peter con firmeza, resuelto a mantener su postura, pero estaba ansioso por marcharse después de aquella terrible conversación—. Creo que deberíamos volver a discutirlo el lunes, cuando hayas tenido tiempo para digerirlo.

—No hay nada que digerir. Ni siquiera pienso volver a discutirlo. Estoy convencido de que el informe de Suchard es producto de su histeria, y me niego a prestarle atención. Si tú quieres hacerlo, es cosa tuya. —Entrecerró los ojos y agitó el dedo índice ante su rostro—. Y no quiero que nada de esto se sepa. Diles a los equipos de investigación que mantengan la boca cerrada. Sólo nos faltaría que corriera el rumor para que la FDA nos negara la licencia.

Peter se sentía como inmerso en una película surrealista. Realmente había llegado la hora de que Frank se jubilara, si iba a empezar a tomar decisiones como aquélla. No conseguía imaginar a qué se debía su actitud.

—Hemos recibido una notificación del Congreso mientras estabas fuera —le dijo Frank, pasando a otro tema, pero cada vez más enojado—. Quieren que nos presentemos ante el subcomité en otoño para hablar sobre los elevados precios de los productos farmacéuticos en el mercado actual. Más chorradas y lloriqueos del gobierno, como si tuviéramos que repartir medicamentos gratuitamente por la calle. Eso ya lo hacemos con las pruebas clínicas y en los países del Tercer Mundo. Esto es una empresa, por amor de Dios, no una fundación benéfica. Y no creas que vamos a sacar Vicotec a precio de saldo. ¡No lo toleraré!

A Peter se le erizó el vello de la nuca al oír a su suegro. El principal objetivo de Vicotec era precisamente obtener un producto accesible para una gran mayoría de personas que no dispusieran de recursos o de medios para tratarse adecuadamente. Si la Wilson-Donovan iba a ponerle un precio de artículo de lujo, no serviría para nada.

—Creo que el precio es un tema muy importante en este caso —dijo Peter con calma, aunque presa del pánico.

—También el Congreso opina igual —bramó Frank—. No nos convocan por este caso concreto, sino por temas más amplios, pero aun así tenemos que mantener nuestra política de precios altos, de lo contrario nos harán tragar nuestras propias palabras cuando Vicotec salga al mercado.

—Creo que deberíamos mostrarnos moderados —sugirió Peter con desaliento. No le gustaba nada lo que oía. Intentaban conseguir un medicamento milagroso y todo lo que quería Frank Donovan era aprovecharse de él.

—Ya he aceptado. Irás tú. He pensado que podría ser en septiembre, cuando te presentes a la audiencia de la FDA. Así ya estarás en Washington.

—Tal vez no —dijo Peter con expresión seria, resuelto a posponer la batalla. Estaba agotado—. ¿Quieres que te lleve a Greenwich? —preguntó con la esperanza de cambiar de tema.

—Voy a cenar en la ciudad —contestó Frank secamente—. Te veré este fin de semana.

Peter estaba seguro de que Frank y su hija habrían preparado algo y que Kate se lo diría cuando llegara a casa. Por el momento lo único que se le ocurría era la posibilidad de que Frank se hubiera vuelto senil. Ninguna persona en su sano juicio querría presentarse ante la FDA para pedir la licencia de un producto peligroso. En lo que a Peter concernía, no se trataba de un problema legal, sino de una responsabilidad moral. Si Vicotec se comercializaba y mataba a alguien, Peter tenía muy claro que los responsables serían él mismo y Frank, no el medicamento.

Tardó la hora entera que duraba el trayecto hasta Greenwich en recuperarse de su entrevista con Frank. Cuando llegó a casa encontró a Kate y a los chicos rondando por la cocina. Kate intentaba organizar una barbacoa y Mike había prometido ayudarla, pero se hallaba ya al teléfono concertando una cita para la noche, y Paul decía que tenía cosas que hacer. Peter miró a su mujer con tristeza, se quitó la chaqueta y se puso un delantal. Para él eran las dos de la madrugada, pero había estado ausente toda la semana y se sentía más que culpable.

Intentó darle un beso a Kate en cuanto tuvo puesto el delantal, pero se vio sorprendido por la frialdad de su mujer y se preguntó si sospecharía algo de lo ocurrido en París. La telepatía que parecía poseer el sexo femenino le asombraba. Nunca la había engañado en dieciocho años y ahora, la primera vez, parecía saberlo todo. Durante la cena siguió tratándole con frialdad y sólo habló con él cuando se marcharon los chicos, que tenían sus propios planes.

—Mi padre me ha dicho que has sido muy grosero con él esta tarde —dijo lanzando chispas por los ojos—. No creo que sea justo. Has estado fuera toda la semana y él estaba muy entusiasmado con el lanzamiento de Vicotec, y ahora se lo has estropeado todo.

Peter sintió crecer el desánimo. No era otra mujer lo que preocupaba a Kate, sino su padre. Con los dos no podía luchar. Apenas había dormido en toda la semana, por no mencionar el hecho de que le deprimía tener que defender sus decisiones en los negocios ante ella.

—Los laboratorios de Francia han detectado un grave problema, un defecto de fabricación que podría ser mortal. Tenemos que cambiarlo. —Lo explicó con calma y con tono profesional, pero ella siguió mirándole con recelo.

—Papá dice que te niegas a presentarlo a la FDA. —Su voz tenía un tono quejicoso.

—Por supuesto. ¿Crees que quiero presentarme ante ellos con un producto que tiene un grave defecto y pedir que nos den permiso para venderlo a un público desprevenido? No seas ridícula. No tengo la menor idea de por qué tu padre ha reaccionado así, pero supongo que cuando lea los informes recobrará la sensatez.

—Papá dice que te estás comportando de un modo infantil, que los informes son producto de la histeria de ese francés y que no hay necesidad de dejarse llevar por el pánico.

Peter apretó los labios. No pensaba seguir discutiendo con su mujer sobre aquel tema.

—No creo que sea momento de hablar de eso. Estoy seguro de que a tu padre le ha sentado mal. A mí también me gustaría que los resultados fueran otros. Pero negarse a aceptarlos no es la respuesta.

—Tal como lo dices dejas a mi padre como a un estúpido —espetó Kate airadamente.

—Se ha comportado como tal —saltó Peter, harto de todo—. Y tú te comportas como si fueras su madre. Esto no es cosa tuya, es un negocio muy serio de la compañía y una decisión muy importante que podría afectar a muchas vidas. No es decisión tuya, ni tienes por qué comentar nada. No creo que debas meterte en esto. —Le sacaba de sus casillas que Frank hubiera llamado a su hija para quejarse en cuanto él se había ido de la oficina. Y de repente recordó todo lo que le había dicho Olivia. Tenía razón al afirmar que Kate y su padre le dirigían la vida. Lo que más le molestaba era no haberse dado cuenta antes.

—Papá dice que ni siquiera quieres ir al Congreso para hablar sobre los precios.

Peter suspiró, impotente.

—Yo no he dicho eso. Le he dicho que creía que debíamos mantener una postura moderada, pero no he tomado ninguna decisión sobre lo del Congreso. No sé nada todavía. —Pero Kate sí. A ella su padre se lo había contado todo y, como de costumbre, sabía más que su marido.

—¿Por qué te comportas así? —preguntó Kate, acosándole aún mientras él metía los platos en el lavavajillas, a pesar de su cansancio.

—Esto no es cosa tuya, Kate. Deja que tu padre dirija la Wilson-Donovan. Él sabe lo que se hace. —Pero no debería haberle gimoteado a su hija. Peter estaba lívido de furia.

—Eso es exactamente lo que intentaba explicarte —dijo Kate con tono triunfal. No le importaba, al parecer, que Peter estuviera cansado ni que también él hubiera sufrido una gran decepción por el defecto de Vicotec. Sólo pensaba en defender a su padre. Y la expresión de sus ojos hirió a Peter en lo más hondo—. Deja que mi padre tome las decisiones. Si él dice que puedes presentarte ante la FDA con el producto, no hay razón para que no lo hagas. Y si le hace feliz que comparezcas ante el Congreso para hablar de precios, ¿por qué no complacerle?

—Lo del Congreso no es lo más importante ahora, Kate —dijo Peter, exasperado ya y con ganas de ponerse a gritar—. Y presentarse ante la FDA con un producto potencialmente peligroso es un suicidio, para la empresa y para los pacientes que lo usaran sin conocer sus posibles efectos letales. ¿Tomarías ahora talidomida sabiendo lo que sabes? Por supuesto que no. ¿Pedirías que te dieran permiso para comercializarla? Por supuesto que no. No puedes pasar por alto los defectos de los productos farmacéuticos una vez los conoces, Kate. Es una locura. Podrías poner a todo el país en contra del medicamento por querer venderlo demasiado pronto, o de manera negligente.

—Creo que mi padre tiene razón. Eres un cobarde —dijo Kate ásperamente.

—No me lo puedo creer —repuso Peter, mirándola con asombro—. ¿Es eso lo que te ha dicho? —Kate asintió—. Creo que está nervioso y me gustaría que no te metieras en esto. He estado fuera de casa casi dos semanas y no quiero pelearme contigo por culpa de tu padre.

—Entonces no le atormentes. Estaba muy trastornado por el modo en que te has comportado esta tarde. Creo que ha estado muy mal por tu parte, muy poco amable e irrespetuoso.

—Cuando necesite un informe de conducta, Kate, ya te lo pediré, pero hasta entonces creo que tu padre y yo podemos resolver esto nosotros solos. Es un hombre adulto y no necesita que lo defiendas.

—A lo mejor sí. Casi te dobla la edad, y si no tienes ningún respeto por él, acabarás mandándolo a la tumba antes de tiempo —se quejó amargamente, al borde de las lágrimas. Peter se quitó la corbata y se sentó, incapaz de creer lo que oía.

—Por amor de Dios, ¿quieres dejarlo ya? Esto es absolutamente grotesco. Tu padre es un hombre adulto que puede cuidar de sí mismo, y no es necesario que nos peleemos por él. Tú sí que vas a mandarme a la tumba prematuramente si no me dejas en paz. Apenas he dormido esta semana, preocupado por las pruebas del laboratorio. —De Olivia y el viaje a La Favière no podía hablarle, claro está. De todas formas, le parecía tan irreal que ya ni siquiera creía que hubiera sucedido. Kate lo había catapultado de vuelta a su mundo con la sutileza de una explosión nuclear.

—No sé por qué tenías que ser tan cruel con él —insistió Kate sonándose la nariz.

Peter la miró, preguntándose si padre e hija se habrían vuelto locos. Se trataba de un producto que tenía algunos problemas. No era nada personal. Su negativa a presentarlo ante la FDA no era un motín contra Frank, ni pretendía ofender a Kate al mostrarse absolutamente franco con él. ¿Había sido siempre igual? ¿O se había vuelto peor de repente? Agotado como estaba le resultaba difícil sacar conclusiones. El llanto de Kate fue la gota que desbordó el vaso. Anonadado, Peter se levantó y la rodeó con los brazos.

—No he sido cruel con él, Katie, créeme. Quizá tu padre haya tenido un mal día. También yo. Vamos a acostarnos, por favor. Estoy rendido.

—¿O era haber perdido a Olivia lo que le hacía sentir de ese modo?

Katie se fue a la cama con él a regañadientes, quejándose aún de las injusticias que había cometido contra su padre. Era todo tan absurdo que Peter dejó de replicar. Al cabo de cinco minutos se había dormido y soñaba con una joven en una playa. La joven reía y le hacía señas. Peter corría hacia ella creyendo que era Olivia, pero al aproximarse descubría que era Katie, y que estaba muy enfadada con él. Se ponía a gritarle y Peter veía a Olivia desaparecer a lo lejos.

Cuando despertó al día siguiente, volvía a sentir una opresión en el pecho como si tuviera plomo. Era una abrumadora sensación de desespero. No recordaba qué era ni por qué se sentía así. Miró alrededor, vio el dormitorio familiar y lo recordó. Recordó otra habitación, otro día, una mujer diferente. Resultaba difícil creer que hubiera sido tan sólo dos días atrás. Parecía toda una vida. Mientras seguía acostado pensando en Olivia, entró Katie y le dijo que esa tarde iba a jugar a golf con su padre.

Olivia se había ido, el sueño se había desvanecido. Había vuelto a la realidad, sólo que de repente no parecía la misma.

9

Al final las cosas se calmaron un tanto. El estado de ánimo de Katie mejoró y dejó de defender a su padre como si éste fuera un niño pequeño. Lo vieron a menudo y después de unos días tanto padre como hija estaban de mejor humor. A Peter siempre le gustaba tener a sus hijos en casa, aunque ese año cada vez pasaban más tiempo fuera. Mike se había sacado el carnet de conducir y llevaba a Paul en su coche a todas partes, lo que significaba que no les veían el pelo. Incluso Patrick pasaba la mayor parte del tiempo fuera, en casa de la vecina, de la que se había enamorado perdidamente.

—¿Pero qué pasa este año? ¿Es que tenemos la lepra? —se quejó Peter una mañana, durante el desayuno—. Ya no vemos nunca a los chicos. Siempre están por ahí. Creía que se trataba de que pasaran las vacaciones con nosotros, ya que están en el internado. —Se sentía muy solo y triste sin ellos, pues le proporcionaban una camaradería y una sensación de intimidad que ya no compartía con Kate.

—Ya los verás en Vineyard —respondió Kate tranquilamente. Ella estaba más acostumbrada a sus idas y venidas. En realidad no disfrutaba tanto con sus hijos como Peter, que siempre había sido un padre fantástico.

—O sea, que ahora tengo que pedirles cita para verlos. Caray, solamente faltan cinco semanas para agosto y a lo mejor ni siquiera entonces los veo. —Sólo bromeaba a medias, pero Katie se echó a reír.

—Ya son mayores —dijo con tono realista.

—¿Quiere eso decir que me han despedido? —Su expresión era de sorpresa. Los chicos sólo tenían catorce, dieciséis y dieciocho años; ¿y ya no necesitaban a sus padres?

—Más o menos. Puedes jugar a golf con mi padre los fines de semana. —Lo irónico del caso era que Kate seguía pasando más tiempo con su padre que con sus propios hijos, pero Peter no comentó nada ni le dijo que la actitud de sus hijos le parecía más normal.

La tensión entre Peter y Frank no desapareció. Esa misma semana, Frank aprobó un elevado presupuesto de investigación para Vicotec, conducido por equipos que trabajarían día y noche, pero seguía negándose a cancelar la audiencia ante la FDA, a pesar de que Peter había accedido a regañadientes a ir al Congreso, sólo por complacerle.

No le gustaba hacerlo, pero no valía la pena luchar y a la empresa le daría un gran prestigio que Peter estuviera allí. Lo que no le gustaba era tener que defender los precios elevados que ellos, al igual que otras empresas farmacéuticas, cargaban sobre sus productos innecesariamente. Frank se justificaba diciendo que sus productos curaban enfermedades humanas, pero que ellos estaban en el negocio por dinero. Peter quería que Vicotec fuera diferente, esperaba convencer a Frank de que sus beneficios se basaran en el volumen de ventas más que en un precio inasequible, ya que, al principio al menos, no tendrían competencia. Pero Frank no quería ni oír hablar de eso. Para él se había convertido en una obsesión la audiencia de la FDA y comercializar el producto lo antes posible y a toda costa. Quería hacer historia y varios millones de dólares.

Finalmente Peter había dejado de discutir con él. Sabía que, de ser necesario, podrían retirarse de la audiencia.

—¿Y si traemos a Suchard? —sugirió—. A lo mejor aceleraríamos el proceso.

Sin embargo, cuando Peter llamó al francés, le comunicaron que se hallaba de vacaciones.

A finales de junio la situación parecía más o menos tranquila y había llegado el momento de que Frank, Kate y los chicos se marcharan a Vineyard. Peter iba a pasar el fin de semana del 4 de Julio con ellos, para volver luego a la ciudad a trabajar durante la semana. En lugar de quedarse en Greenwich, se mudaría al apartamento de la empresa en Nueva York y pasaría más horas en la oficina. Le gustaba quedarse en la ciudad, porque en Greenwich se sentía muy solo sin su mujer y los chicos; además, quería seguir de cerca los progresos de los equipos de investigación. Iría a Martha's Vineyard los fines de semana.

Pero no era sólo el trabajo lo que ocupaba su mente a finales de junio. Dos semanas antes había visto por televisión el anuncio de que Andy Thatcher iba a presentarse a las elecciones presidenciales. Y también había visto que durante la primera conferencia de prensa de Thatcher, e incluso en las consecutivas, Olivia se hallaba a su lado. No podía llamarla para preguntárselo, así que le desconcertaba aquella súbita reaparición en primer plano junto al senador. Supuso, a falta de otros indicios, que sólo podía significar una cosa: Olivia había decidido no abandonar a su marido. Se preguntó cómo se sentiría y si Andy la habría manipulado de algún modo para que tomara esa decisión. Dudaba de que fuera producto del afecto, sino más bien de cierto sentido del deber. Peter no quería creer que fuera por amor.

Resultaba extraño el modo en que habían reanudado sus vidas respectivas después del breve intervalo de París, y le hubiera gustado saber si las cosas habían cambiado tanto para ella como para él. Al principio Peter había intentado resistirse, decirse que en realidad todo era como antes, pero no era verdad. De repente, todo lo que Kate hacía o decía parecía tener algo que ver con su padre. Su trabajo parecía más difícil y Frank nunca había sido tan poco razonable. Ni siquiera sus hijos le necesitaban ya. Pero lo peor era que ya no hallaba alegría en su vida, que no tenía nada de lo que había compartido con Olivia en Francia. Sobre todo, no tenía a nadie con quien hablar. A lo largo de los años él y Kate se habían ido separando, pero él no se había dado cuenta. Kate estaba demasiado ocupada en sus propias actividades para dedicarle tiempo a él. En realidad, el único hombre que le importaba de verdad era su padre.

Peter intentó convencerse de que se había vuelto demasiado susceptible, que aún seguía cansado o tenso por la decepción de Vicotec, pero no acababa de creérselo. Todo le irritaba y se sentía incómodo con su mujer, con sus amigos y con todo. Sopesó también la posibilidad de que, inconscientemente, estuviera forzando una confrontación con su mujer para justificar lo sucedido con Olivia.

Casi sin darse cuenta, solía revisar los periódicos buscando fotografías de Olivia. El 4 de Julio vio a Andy en la televisión. Salía durante un mitin en Cape Cod y en un reportaje en el que aparecía su enorme velero atracado en un muelle justo detrás de él. Olivia estaba allí, en alguna parte, pero no la vio.

—¿Qué haces viendo la televisión a estas horas? —Kate lo había encontrado en su dormitorio con el televisor encendido. Peter la miró y observó una vez más la esbelta figura de su mujer. Kate llevaba un traje de baño azul y la pulsera de oro con el corazón que le había comprado en París, pero a pesar de sus rubios cabellos y su rostro perfecto, no causaba en él el intenso efecto que había sentido con Olivia. Tales pensamientos le hicieron sentir culpable una vez más, y Kate advirtió su expresión preocupada—. ¿Te ocurre algo? —preguntó. También ella había notado un cambio en su marido. Estaba más irritable desde que había vuelto de Europa.

—No, nada. Sólo quería ver las noticias. —Peter apartó la mirada y apagó el televisor con el mando a distancia y una expresión vaga en el rostro.

—¿Por qué no sales y nadas un poco? —propuso Kate, sonriendo. Siempre era feliz durante las vacaciones en Vineyard, aunque notaba que las cosas habían cambiado levemente ese verano. Esperaba que todo saldría bien al final y que Vicotec sería un éxito. Por el momento, sin embargo, Peter parecía triste y distante.

Dos semanas después, Peter llamó de nuevo a París y descubrió la verdad. Después de colgar el teléfono, se quedó mirando fijamente al vacío con absoluta incredulidad. Al fin decidió ir a Martha's Vineyard para hablar en persona con el padre de Katie.

—¿Que lo has despedido? ¿Por qué? ¿Cómo has podido hacer eso? —Frank Donovan había despedido al mensajero de las malas noticias. Seguía sin comprender que, a largo plazo, Suchard les había salvado.

—Es un idiota. No es más que un viejo cobardica que ve demonios en la oscuridad. No había razón para seguir con él.

—Es uno de los científicos más eminentes de Francia, Frank —protestó Peter, convencido de que realmente su suegro se había vuelto loco—, y sólo tiene cuarenta y nueve años. ¿Qué has hecho? Podría habernos ayudado a avanzar en nuestras investigaciones.

—Nuestras investigaciones van perfectamente. Lo estuve hablando con los equipos ayer mismo. Me han dicho que estarán listos para primeros de septiembre. Y no habrá defectos, ni fallos, ni fantasmas ni peligro.

—¿Puedes demostrarlo? ¿Estás seguro? Paul-Louis dijo que se tardaría un año.

—Por eso precisamente lo he despedido. No sabía lo que decía.

A Peter, sin embargo, le asustó lo que había hecho Frank y usó los archivos de la compañía para localizar a Paul-Louis. Le llamó la primera noche en que volvió a Nueva York para decirle cuánto lo sentía y hablar sobre Vicotec.

—Van a matar a alguien —dijo Suchard con tono serio, aunque conmovido por la llamada de Peter, por quien sentía un gran respeto. Al principio le habían dicho que el despido era idea de Peter, pero más tarde se había enterado de que la orden procedía de Frank Donovan—. Aún no está listo —repitió—. Tiene que pasar otra vez por todas las pruebas, y eso llevará meses, aunque haya equipos trabajando las veinticuatro horas del día. No debe permitir que lo hagan.

—No lo permitiré, descuide. Le agradezco todo lo que ha hecho y lamento lo ocurrido.

—No se preocupe —dijo el francés, encogiéndose de hombros y sonriendo. Había recibido una oferta de una importante empresa farmacéutica alemana que tenía unos laboratorios en Francia, pero necesitaba tiempo para pensárselo. Y se había ido a la Bretaña para hacerlo—. Lo comprendo. Le deseo buena suerte. Podría ser un producto maravilloso.

Los dos hombres siguieron hablando un rato y Paul-Louis prometió mantenerse en contacto con él. Durante las semanas siguientes, Peter vigiló más de cerca las investigaciones. Si Suchard tenía razón, aún quedaba mucho trabajo que hacer antes de dar luz verde al producto.

A finales de julio los equipos de investigación parecían haber conseguido grandes progresos y Peter se fue a Martha's Vineyard más animado. El departamento de investigación había prometido mandarle informes diarios por fax, lo que, desgraciadamente, le hizo difícil relajarse. Parecía atado por un cordón umbilical al aparato de fax que tenía en casa.

—Este año no te estás divirtiendo mucho —se quejó Kate, aunque en realidad no le prestaba demasiada atención. Se pasaba el día con los amigos o en casa de su padre, ayudándole a hacer reformas, a distraer a sus amigos y a organizar fiestas para él a las que también asistía ella con Peter. Pero Peter empezaba a poner pegas. Le decía que no estaba nunca en casa y que, cuando la veía, siempre tenía prisa por ir al encuentro de su padre.

—¿Qué te pasa? Antes no estabas celoso de papá. Tengo la impresión de que tiráis de mí, uno por cada lado —dijo Kate con expresión de fastidio. Peter siempre había sido muy comprensivo, pero ahora se quejaba continuamente. Y su padre no se portaba mejor. Seguía furioso por la postura que había adoptado Peter con respecto a Vicotec.

A mediados de agosto, la tensión entre los dos hombres había crecido hasta el punto de que Peter estaba dispuesto a pretextar que tenía trabajo para volver a Nueva York. Tal vez fuera culpa suya, pero había tenido varias discusiones con los chicos, encontraba a Katie más difícil de soportar que de costumbre y estaba harto de ir a cenar a casa de su suegro. Para empeorar las cosas, el tiempo había sido malísimo, con tormentas continuas y la amenaza de un huracán procedente de las Bermudas. El tercer día desde que se anunciara el huracán, Peter mandó a todo el mundo al cine, cerró y aseguró los postigos de las ventanas y los muebles del jardín. Más tarde se hallaba comiendo delante de la televisión, viendo un partido de béisbol. Durante un descanso cambió de canal para ver las noticias y enterarse del avance del huracán *Angus*. Tuvo un sobresalto cuando vio la imagen de un enorme velero seguida de la fotografía del senador Andy Thatcher. El reportaje había empezado un rato antes y el presentador estaba diciendo: «... la tragedia se produjo la pasada madrugada. Por el momento no se han recuperado los cadáveres. El senador no ha hecho aún declaración alguna.»

—Oh, Dios mío —exclamó Peter. Se puso en pie y dejó el sándwich sobre la mesa. Tenía que saber qué le había ocurrido a ella. ¿Estaba muerta o viva? ¿Era el suyo uno de los cadáveres que buscaban? Estaba al borde de las lágrimas mientras miraba fijamente el televisor y cambiaba de canal frenéticamente.

—Hola, papá. ¿Cómo va el marcador? —preguntó Mike, de vuelta del cine. Peter no les había oído llegar y miró a su hijo con el rostro pálido como la cera.

—No hay marcador... No sé... no importa. —Volvió a mirar el televisor y Mike salió.

Por fin Peter halló lo que buscaba en el canal 2,

y esta vez lo oyó casi desde el principio. El velero había quedado atrapado en una tormenta en aguas traicioneras frente a la costa de Gloucester. A pesar de su tamaño y de su supuesta estabilidad, había chocado contra unas rocas y se había hundido en apenas diez minutos. El velero estaba informatizado y lo dirigía el propio senador con la ayuda de un único marinero de cubierta y unos amigos. El senador había sobrevivido. Su mujer también viajaba a bordo, así como el hermano de ésta, el joven congresista de Boston, Edwin Douglas. Desgraciadamente, la esposa del congresista y sus dos hijos habían sido barridos por una ola. El cadáver de la señora Douglas había sido hallado esa misma mañana temprano, pero aún no se tenían noticias de los dos niños. Luego, sin detenerse apenas, el presentador informó que Olivia Thatcher había estado a punto de ahogarse. De hecho había ingresado en estado crítico en el hospital Addison Gilbert, después de ser rescatada a última hora de la noche por los servicios de guardacostas. La habían encontrado inconsciente, pero su salvavidas la había mantenido a flote.

—Oh, Dios mío... Oh, Dios mío —exclamó Peter.

Olivia le tenía tanto miedo al océano... Peter imaginaba lo que debía de haber padecido. Por un momento pensó en acudir a su lado, pero ¿cómo explicarlo? ¿Qué dirían en las noticias? «Un anónimo hombre de negocios ha aparecido hoy en el hospital, ansioso por ver a la señora Thatcher, y le ha sido negada la entrada. Le han colocado una camisa de fuerza y le han enviado a casa con su mujer para que recupere el juicio.» No sabía cómo verla sin causar problemas. Volvió a sentarse con la vista fija en el televisor. En otra cadena dijeron que Olivia aún no había recuperado el conocimiento. Se decía que estaba sumida en un coma profundo. Pasaron todas las fotografías sensacionalistas de las diversas tragedias de su familia, igual que en París. Los periodistas acampaban frente a la casa de sus padres, en Boston. Mostraron también unas imágenes de su hermano abandonando el hospital con el rostro desencajado. Daba lástima verlo, y Peter notó que le resbalaban lágrimas por las mejillas.

—¿Ocurre algo, papá? —Mike había vuelto a entrar.

—No, lo siento... estoy bien... es que acaba de ocurrirle algo a unos amigos. Es terrible. Una tormenta frente a Cape Cod hundió anoche el velero del senador Thatcher. Al parecer han muerto varias personas y hay otras heridas.

—¿Los conoces? —preguntó Katie, sorprendida al oírle cuando pasaba por la sala de estar de camino a la cocina—. Decían algo del accidente en el periódico de esta mañana.

—Los conocí en París —contestó Peter, temiendo que Katie se diera cuenta de algo por el tono de su voz o de que estaba llorando.

—Dicen que ella es muy rara. Creo que el senador se va a presentar a las presidenciales —dijo Katie desde la cocina, pero Peter no respondió. Se había ido arriba con el mayor sigilo posible y estaba llamando al hospital desde el dormitorio.

No consiguió enterarse de nada por las enfermeras del Addison Gilbert. Les dijo que era un amigo íntimo de la familia y ellas le explicaron lo mismo que habían dicho por televisión. Olivia se hallaba en la UCI, todavía inconsciente. Peter no podía hacer nada más. Se tumbó en la cama pensando en las posibles repercusiones del accidente para Olivia y recordando los días pasados en París.

—¿Estás bien? —Katie subía al piso de arriba en busca de alguna cosa y le sorprendió ver a su marido en la cama.

Peter se había comportado de un modo extraño durante todo el verano, al igual que su padre. Katie opinaba que Vicotec había sido desastroso para ambos y sentía que hubieran puesto en marcha aquel proyecto, porque no valía la pena el precio que estaban pagando por él. Miró a su marido y vio que tenía los ojos llorosos.

—¿Te encuentras bien? —preguntó de nuevo, preocupada. Puso una mano sobre la frente de Peter, pero comprobó que no tenía fiebre.

—Estoy perfectamente —le aseguró él, sintiéndose culpable hacia Katie, pero estaba tan asustado por Olivia que apenas podía pensar con claridad. Quería acudir a su lado y abrirle los ojos y volver a besarla.

Cuando vio a Andy Thatcher en la televisión, le entraron ganas de estrangularle por no estar al lado de su esposa. El senador habló sobre el accidente, la rapidez con que la tormenta se había abatido sobre ellos y la tragedia de no haber podido salvar a los niños. En cierto modo, sin expresarlo exactamente con esas palabras, consiguió transmitir la idea de que, a pesar de las muertes y del grave estado de su esposa, él era un héroe.

Peter estuvo más callado que de costumbre aquella noche. El huracán pasó sin que se vieran afectados. Volvió a llamar al hospital; nada había cambiado. Para él y para los Douglas fue un fin de semana de pesadilla. El domingo por la noche Peter llamó una vez más al hospital; era la cuarta vez de aquel día. Notó que le flaqueaban las piernas cuando la enfermera pronunció las palabras por las que tanto había rezado.

—Está despierta —dijo, y a Peter se le hizo un nudo en la garganta—. Se pondrá bien.

Peter colgó, ocultó el rostro entre las manos y se echó a llorar. Estaba solo y podía desahogarse. No había pensado en otra cosa en dos días y había rezado por ella sin cesar. Incluso había sido sorprendido por Katie acudiendo a la iglesia el domingo por la mañana.

—No sé qué le ha ocurrido —le había dicho Katie a su padre esa noche por teléfono—. Seguro que es por todas esas tonterías sobre Vicotec. Odio ese proyecto. A él lo está poniendo enfermo y a mí me volverá loca.

—Lo superará —replicó su padre—. Todos estaremos más contentos cuando haya salido al mercado. —Kate empezaba a dudarlo; las peleas que tenían por su culpa eran cada vez más penosas.

A la mañana siguiente Peter llamó de nuevo al hospital, pero no le dejaron hablar con Olivia. Esta vez dijo que era un primo de Boston. Ni siquiera podía mandarle un mensaje en clave, porque no sabía quién podía interceptarlo. Su marido dijo en una rueda de prensa que habían sido muy afortunados y que Olivia volvería a casa al cabo de unos días. Después se marchó a la costa Oeste para seguir con su campaña.

Volvió a tiempo para el funeral de la esposa y los hijos de Edwin Douglas. A Peter le alivió ver en televisión que Olivia no estaba allí. La conocía lo suficiente para saber que no hubiera podido soportarlo. Sí se hallaban en el cementerio sus padres y Edwin, visiblemente afectados y muy juntos, y por supuesto Andy, con un brazo alrededor de su cuñado, como la perfecta familia de políticos.

Olivia vio el reportaje por la televisión desde la UCI y lloró desconsoladamente. Las enfermeras no lo creían aconsejable, pero Olivia había insistido. Cuando vio a su marido en una entrevista, comentando lo valientes que habían sido todos, siempre dando a entender que era un héroe, Olivia sintió ganas de matarlo.

Andy no se molestaba siquiera en llamarla. Cuando ella llamó a casa de sus padres, su padre le dijo que a su madre le habían dado un sedante, pero su tono hizo pensar a Olivia que estaba borracho. Olivia lamentaba profundamente la muerte de sus sobrinos. Hubiera preferido morir en su lugar. Los niños eran muy pequeños y su cuñada estaba embarazada, aunque nadie lo sabía. A los ojos de Olivia, ella no tenía nada por lo que vivir, no era más que la marioneta de un egocéntrico, y a nadie hubiera importado que murieran ambos, salvo quizá a sus padres. Pensó también en Peter, pero su amor por él parecía parte del pasado y no había modo de incluirlo en el futuro.

Siguió llorando en su cama cuando apagaron el televisor, pensando en lo absurda que era la vida.

Le resultaba imposible comprender por qué había muerto tanta gente buena.

—¿Cómo se encuentra, señora Thatcher? —le preguntó una de las enfermeras. Estaba preocupada por Olivia; la veía sola y un poco abandonada. De repente recordó algo—. Alguien la ha estado llamando desde que ingresó. Un hombre. Dice que es un viejo amigo. —Sonrió—. Y esta mañana ha dicho que era un primo suyo, pero estoy segura de que era el mismo. No ha dejado su nombre, pero parece muy preocupado por usted.

Olivia supo inmediatamente que era Peter. ¿Quién más iba a llamar sin dejar su nombre? Alzó unos ojos llenos de tristeza hacia la enfermera.

—¿Puedo hablar con él la próxima vez que llame? —preguntó. Tenía todo el aspecto de una niña maltratada. Estaba cubierta de grandes contusiones causadas por los restos del velero.

—Intentaré pasárselo si vuelve a llamar —le aseguró la enfermera, y salió.

Cuando Peter volvió a llamar a la mañana siguiente, Olivia estaba dormida, y la siguiente vez había una enfermera distinta.

Olivia pensaba constantemente en Peter, pero no tenía modo de ponerse en contacto con él. Tenía muchas cosas sobre las que reflexionar. Había prometido a Andy que haría campaña con él, pero de repente comprendía lo breve e impredecible que era la vida. Había vendido su alma durante los cinco años siguientes, y ahora le parecía una eternidad. Sólo le quedaba la esperanza de que Andy no ganara las elecciones, porque estaba convencida de que no podría sobrevivir a una victoria. La mujer de un presidente no podía desaparecer así como así.

Pasó cuatro días más en la UCI, hasta que la trasladaron a una habitación. Andy cogió un avión desde Virginia para ir a verla. Una vez llegó al hospital, aparecieron periodistas por todas partes y un equipo móvil de la televisión; uno de ellos incluso se coló en la habitación. Olivia se cubrió con las sábanas y una enfermera los echó de la planta.

Andy tenía una gran idea. Había convocado una conferencia de prensa para Olivia en el hospital, al día siguiente, justo en la puerta de su habitación. Un peluquero y un maquillador acudirían para la ocasión. Olivia podría hacer sus declaraciones desde una silla de ruedas.

Olivia escuchaba a su marido mientras se le aceleraban los latidos del corazón y se le revolvía el estómago.

—No quiero hacerlo —dijo con firmeza. Le recordaría la muerte de su hijo Alex y el acoso a que la había sometido entonces la prensa. Ahora querrían saber si había visto morir a sus sobrinos o a su cuñada, y cómo se sentía después de que ellos hubieran muerto y ella no, y cómo lo explicaba. Olivia sentía que se ahogaba sólo con pensar en ello y sacudió la cabeza, presa del pánico—. No puedo, Andy... lo siento... —dijo, apartando el rostro y preguntándose si Peter habría vuelto a llamar. No había visto a aquella enfermera desde que la habían sacado de la UCI, y no podía preguntar por él a nadie más.

—Mira, Olivia, tienes que hablar con la prensa, o creerán que ocultamos algo. Has estado en coma durante cuatro días. No quiero que el país piense que te han quedado lesiones cerebrales o algo así. —Hablaba con ella como si nada hubiera ocurrido, pero Olivia recordaba la conversación mantenida con su hermano esa mañana. Edwin estaba destrozado, había perdido a toda su familia, y a Andy sólo le importaba que ella hablara con la prensa desde una silla de ruedas.

—Me da igual lo que piensen. No voy a hacerlo —replicó con firmeza.

—Has de hacerlo —espetó él—, tenemos un contrato.

—Me das asco —concluyó Olivia.

Al día siguiente, cuando llegaron los periodistas, Olivia se negó a verlos. Tampoco quiso saber nada del peluquero ni del maquillador, ni salió de la habitación en la silla de ruedas. Los de la prensa pensaron que les querían tomar el pelo, así que Andy tuvo que hacer unas declaraciones en el vestíbulo sin su mujer. Explicó el trauma que había sufrido Olivia y su sentimiento de culpabilidad por haber sido uno de los pocos supervivientes, y afirmó que también él sufría por ello. Sin embargo, no estaba dispuesto a perder aquella oportunidad para granjearse las simpatías del público, y al día siguiente él mismo llevó a la habitación a tres periodistas. Cuando Olivia los vio, se echó a llorar con su aspecto patéticamente frágil. Una enfermera y dos celadores echaron a los periodistas, pero éstos habían conseguido una docena de fotografías de Olivia antes de salir, y luego se detuvieron en el pasillo para hablar con Andy.

Cuando Andy regresó a la habitación, Olivia

bajó de la cama y le golpeó el pecho con los puños, abrumada por la sensación de haber sido violada en su intimidad.

—¿Cómo has podido hacerme esto? La familia de Edwin acaba de morir y yo ni siquiera he salido del hospital —sollozó. Olivia quería conservar su dignidad y le importaba bien poco lo que pudieran pensar sobre su estado. El problema era que a Andy le daba exactamente igual lo que ella pensara.

Peter vio las fotografías en las noticias de la noche y sintió que se le encogía el corazón. Olivia parecía más vulnerable que nunca, tumbada en la cama con el camisón del hospital, llorando y con tubos intravenosos en ambos brazos. Uno de los periodistas dijo, además, que aún se estaba recuperando de una neumonía. Aquella visión despertaba compasión, es decir, lo que pretendía Andy.

No obstante, Olivia sorprendió a su marido cuando en el hospital le dijeron que le darían el alta a finales de semana y ella explicó que no volvería a casa con él. Ya había hablado con su madre y había decidido que se iría a casa de sus padres.

—Eso es ridículo, Olivia —se quejó Andy cuando ella se lo comunicó por teléfono—. No eres una niña pequeña, tienes que volver a Virginia conmigo.

—¿Para qué? —preguntó ella ásperamente—, ¿para que metas a los periodistas en mi habitación cada mañana? Mi familia acaba de sufrir una terrible desgracia y yo quiero estar con ellos. —Olivia no culpaba a su marido del accidente. La tormenta no la había provocado él, pero el modo en que se había comportado desde entonces era infame y vergonzoso, y nunca le perdonaría que hubiera intentado sacar partido, cosa que volvió a hacer el día en que Olivia salía del hospital. Cuando bajó al vestíbulo, descubrió que le aguardaba un ejército de periodistas. Andy era el único que sabía qué día le daban el alta, por lo tanto era el único que podía haberles informado. También aparecieron frente a la casa de sus padres en Boston, pero su padre se encargó de cortar por lo sano.

—Necesitamos un poco de intimidad en esta casa —dijo, y como gobernador su palabra tenía cierto peso. Contestó a unas cuantas preguntas, pero explicó que ni su esposa ni su hija, y mucho menos su hijo, estaban en condiciones de hablar con la prensa—. Estoy convencido de que lo comprenderán —dijo cortésmente, posando para una única foto. Al ser preguntado, replicó que no tenía más explicación para la presencia de la señora Thatcher en su casa que el deseo de ésta de estar con su madre y su hermano. Edwin Douglas no soportaba aún la idea de volver a su propia casa sin su familia.

—¿Se han distanciado los Thatcher desde el accidente? —preguntó uno de los periodistas, cogiéndole por sorpresa.

Al gobernador Douglas no se le había ocurrido siquiera esa posibilidad. Se lo preguntó esa noche a su mujer, pensando que tal vez ella supiera más que él.

—No lo creo —dijo Janet Douglas, frunciendo el entrecejo—. Olivia no me ha dicho nada. —Sin embargo, tanto ella como su marido sabían que Olivia era muy reservada y que, después de haber sufrido la tragedia en su propia carne, prefería guardarse sus sentimientos para sí.

Andy, sin embargo, reaccionó rápidamente cuando se enteró de la pregunta formulada por el periodista, y fue para quejarse a Olivia. Le dijo que si no volvía a casa pronto empezarían a correr rumores.

—Volveré a casa cuando esté lo bastante bien como para marcharme de aquí —respondió ella fríamente.

—¿Y cuándo será eso? —Él volvía a California al cabo de dos semanas y quería que ella le acompañara.

En realidad Olivia pensaba volver a Virginia a los pocos días, pero la insistencia de su marido le hizo desear mantenerse alejada de él. Tras una semana de estancia en Boston, su madre decidió por fin que debía hablar con ella.

—¿Qué ocurre? —le preguntó. Se hallaban las dos en el dormitorio de su madre. La mujer del gobernador padecía con frecuencia migrañas y se estaba recuperando de una, por lo que tenía una bolsa de hielo en la cabeza—. ¿Va todo bien entre tú y Andy?

—Eso depende de lo que tú entiendas por «bien» —respondió Olivia—. No va peor que de costumbre. Está enfadado porque no dejo que la prensa me atosigue ni estoy dispuesta a revivir el accidente para alimentar el sensacionalismo televisivo. Pero dale un par de días más, mamá, y estoy segura de que lo conseguirá.

—La política hace cosas extrañas con los hombres —comentó su madre. Sabía mejor que nadie a lo que se refería. Su propia mastectomía, a la que se había sometido recientemente, había sido motivo de un reportaje en la televisión, con todo lujo de detalles y una entrevista a su médico. Veía ahora que su hija empezaba a sufrir las mismas consecuencias de la exposición continua a la opinión pública.

Olivia miró a su madre en silencio y se preguntó qué opinaría si le contara la verdad. Lo había estado pensando durante días y creyó llegado el momento.

—Voy a dejarle, mamá. No puedo seguir con esto. Intenté dejarle en junio, pero él quiere ganar las presidenciales a toda costa, así que accedí a hacer la campaña y a quedarme con él los primeros cuatro años si ganaba. —Miró a su madre con expresión desdichada. La estupidez que había cometido se hacía más evidente al contársela a otra persona—. Me paga un millón de dólares por año si lo hago. Y lo extraño es que ni siquiera me importa. Cuando me lo ofreció parecía dinero de mentira. No lo hago porque le ame, sino porque antes le amaba, pero supongo que tampoco al principio le amaba lo suficiente. Ahora sé que no puedo seguir con él.

—Entonces no lo hagas —dijo su madre—. Ni cinco millones de dólares son suficientes. No hay cantidad por la que valga la pena arruinar tu vida. Déjalo mientras puedas, Olivia. Yo debería haberlo hecho hace años, ahora ya es demasiado tarde. La política me indujo a beber, ha arruinado mi salud, ha destruido mi matrimonio y me ha impedido hacer cuanto quería, además de hacer daño a toda la familia. Olivia, si no es esto lo que quieres, déjalo. Por favor, cariño. —Apretó la mano de su hija con los ojos llenos de lágrimas—. Te lo suplico. No hagas caso de lo que diga tu padre, yo te apoyo plenamente. —Miró a su hija con severidad. Una cosa era abandonar la política y otra abandonar un matrimonio que aún podía valer la pena salvar—. ¿Y Andy?

—Hace mucho tiempo que todo acabó entre nosotros, mamá.

Janet asintió. En realidad no le sorprendía.

—Tu padre va a pensar que le mentí el otro día —dijo—. Me preguntó si te iba todo bien y le dije que sí, aunque no lo veía muy claro.

—Gracias, mamá —dijo Olivia, abrazándola—. Te quiero. —Su madre acababa de darle el mejor regalo de todos: su bendición.

—Yo también te quiero, cariño. Haz lo que debas hacer y no te preocupes por lo que diga tu padre. Él y Andy armarán mucho ruido al principio, pero se les pasará. Y Andy es joven. Siempre puede volver a casarse y presentarse a las elecciones en otra ocasión. Aún no ha dicho su última palabra en Washington. No dejes que te intimide y te convenza de volver, Olivia, a menos que sea lo que quieres.

—No quiero volver, mamá. No lo haré. Debería haberle dejado hace mucho tiempo... antes de que naciera Alex, o al menos después de que muriera.

—Eres joven y podrás rehacer tu vida —le dijo su madre. Ella no lo había conseguido; todo en su vida se había consumido en la ambición política de su marido. Quería algo muy diferente para su hija–. ¿Qué vas a hacer?

–Quiero escribir –contestó Olivia, sonriendo tímidamente.

Su madre se echó a reír.

–Las historias se repiten, ¿verdad? Hazlo, entonces, y no dejes que nadie te lo impida.

Siguieron hablando durante toda la mañana y comieron juntas en la cocina. Olivia pensó incluso en hablarle de Peter, pero acabó por no hacerlo. Explicó a su madre que probablemente volvería a Francia, al pueblo de pescadores que tanto le gustaba. Era un buen lugar para escribir y ocultarse. Pero su madre le advirtió:

–No puedes ocultarte para siempre.

–¿Por qué no? –preguntó ella, sonriendo con tristeza. Pensaba desaparecer de la vida de Andy, esta vez legalmente, pero también quería volverse invisible para la prensa y la opinión pública.

Edwin se unió a ellas para cenar. Estaba abrumado por el dolor, pero Olivia consiguió hacerle reír un par de veces. El congresista se mantenía al tanto de lo que ocurría en Washington por teléfono y por fax. A Olivia le parecía increíble que pudiera pensar en eso después de lo sucedido, pero era evidente que estaba tan obsesionado como su padre y su marido. Por la noche, Olivia llamó a Andy para comunicarle que había tomado una importante decisión.

–No voy a volver –le dijo sencillamente.

–Venga ya –replicó él con tono de fastidio–. ¿Has olvidado nuestro contrato?

–No hay nada en él que diga que estoy obligada a quedarme contigo o a continuar hasta que ganes las elecciones. Sólo dice que, si lo hago, me pagarás un millón de dólares al año. Bueno, pues acabo de ahorrarte un montón de dinero.

—No puedes hacerme esto —repuso Andy, más enojado que nunca.

—Sí que puedo, y lo haré. Salgo para Europa mañana por la mañana.

En realidad no se marchaba hasta unos días después, pero quería asegurarse de que él comprendía que todo había terminado. De todas formas Andy se presentó en Boston al día siguiente y, como había predicho la madre de Olivia, el gobernador se puso de su parte. Pero Olivia tenía treinta y cuatro años, era una mujer adulta y sabía que nada conseguiría alterar su decisión.

—¿Te das cuenta de lo que estás tirando por la borda? —le gritó su padre. Andy le miró con agradecimiento. Para Olivia tenían todo el aspecto de un pelotón de linchamiento.

—Sí —respondió tranquilamente, mirándoles a los ojos—, mentiras y sufrimientos. Ya hace tiempo que estoy experimentando ambas cosas y creo que estaré mejor sin ellas. Ah, se me olvidaba, y la explotación.

—No te des tantos aires —le dijo su padre. Era un político de la vieja escuela, que no procedía de una familia tan distinguida como la de Andy—. Es una vida fantástica, una gran oportunidad, lo sabes.

—Para ti, quizá —dijo ella, mirándolo con pesar no disimulado—. Para el resto de nosotros es una vida de soledad y frustración, de promesas rotas siguiendo la caravana electoral. Quiero una vida real con un hombre real, o sola, si así ha de ser. Ya no me importa. Lo único que quiero es alejarme de la política y no volver a oír esa palabra nunca más. —Miró a su madre de reojo y vio que ésta sonreía.

—¡Eres una estúpida! —exclamó su padre, perdiendo los estribos.

Andy se marchó, mostrándose realmente rencoroso y prometiendo a Olivia que le haría pagar por su traición. No mentía; el día en que Olivia partía hacia Francia, se publicó en los periódicos de Boston una historia, que sólo su marido podía haber ideado, según la cual Olivia había sufrido un grave colapso nervioso a causa de su accidente y de la pérdida de sus familiares, por lo que acababa de ser ingresada en un hospital. Se decía también que su marido estaba muy preocupado y, aunque no explícitamente, se daba a entender que el estado mental de Olivia había producido cierto distanciamiento entre los cónyuges. El artículo estaba redactado de tal forma que decantaba claramente sus simpatías hacia Andy por tener que habérselas con un caso de enfermedad mental. Andy se estaba preparando el terreno perfectamente. Si alegaba que Olivia estaba loca nadie le echaría la culpa por abandonarla. El primer asalto lo había ganado Andy... ¿O era el segundo... o el décimo? ¿La había derribado por KO, o sencillamente había salido corriendo para salvar la vida? ¿Qué más daba?

También Peter leyó la noticia y sospechó que había sido invención de Andy. No le parecía propio de Olivia, a pesar del poco tiempo que la había tratado. En cualquier caso no podía comprobar su veracidad, puesto que no se mencionaba el hospital en que supuestamente estaba ingresada, de modo que no pudo hacer nada más que enloquecer de preocupación por ella.

La madre de Olivia la llevó al aeropuerto un jueves por la tarde a finales de agosto. Peter y su familia seguían en Vineyard. Janet Douglas permaneció en el aeropuerto hasta que despegó el avión de su hija para asegurarse de que se marchaba sana y salva, segura de que había escapado a un destino peor que la muerte.

—Buena suerte, Olivia —dijo en voz baja, esperando que no volviera a Estados Unidos en mucho tiempo, donde tantos malos recuerdos dejaba. Cuando el avión desapareció de la vista, Janet hizo una seña a sus guardaespaldas y salió del aeropuerto lentamente. Olivia estaba a salvo.

10

Al tiempo que agosto terminaba y seguían llegando faxes sobre la investigación de Vicotec, la tensión entre Peter y su suegro fue aumentando. El fin de semana anterior al día del Trabajo,[1] casi se podía palpar en el aire, e incluso los chicos habían empezado a notarla.

—¿Qué ocurre entre el abuelo y papá? —preguntó Paul el sábado por la tarde.

—Tu padre, que pone problemas —contestó Kate con ceño, y Paul comprendió que ella culpaba a Peter.

—¿Se han peleado o algo así? —Era lo bastante mayor como para comprender las cosas y su madre solía ser sincera con él, aunque las «peleas» no solían proliferar en la familia. Sin embargo, él sabía que algunas veces su padre y su abuelo discrepaban sobre ciertas cosas.

—Están trabajando en un nuevo producto —respondió ella, sin entrar en detalles. Le había

1. En Estados Unidos el día del Trabajo se celebra el primer lunes de septiembre. *(N. de la T.)*

pedido a su marido repetidas veces que fuera más amable con su padre, que había estado preocupado todo el verano por ese dichoso tema, porque a su edad no era bueno excitarse. Sin embargo, la propia Kate debía admitir que su padre tenía un aspecto inmejorable. A la edad de setenta años seguía jugando una hora diaria a tenis y solía nadar tres kilómetros desde Chilmark hasta Squibnocket.

—Ah. —Paul se conformó con aquella explicación—. Supongo que entonces no es nada importante —comentó despreocupadamente, con la experiencia que le daban sus dieciséis años.

Esa noche toda la familia asistía a una fiesta para celebrar el final del verano con todos sus amigos. Dos días después se marcharían. Patrick y Paul volverían al colegio y Mike ingresaría en Princeton. El lunes se mudaban de nuevo a Greenwich.

Kate tenía muchas cosas que hacer. Se hallaba guardando algunas de sus ropas cuando entró Peter y se quedó mirándola. El verano no había sido bueno para él. El doble golpe del fracaso parcial de Vicotec y de haber perdido a Olivia casi nada más conocerla, había sido una lenta agonía durante todo el mes de agosto. Sin duda la preocupación sobre el producto y la presión de Frank le habían hecho ver todo más negro, al igual que la intromisión de Kate en un asunto que no tenía nada que ver con ella. Tampoco podía negar que lo ocurrido en Francia había provocado un cambio. Peter había vuelto a casa resuelto a retomar su vida donde la había dejado, pero no era posible. Era como abrir una ventana, ver un maravilloso paisaje, y luego tener que cerrarla otra vez. Fijó la vista en la pared, recordando a Olivia y los breves días pasados junto a ella. El accidente de Olivia le había aterrorizado. Le parecía que era una especie de terrible castigo, pero ¿por qué ella y no él?

—Siento mucho que haya sido un verano tan malo —dijo tristemente, sentándose en la cama, mientras Kate colocaba un montón de suéteres en una caja con bolas de naftalina.

—No ha sido tan malo —replicó ella con tono amable, mirando a su marido por encima del hombro desde lo alto de la escalerilla.

—Ha sido culpa mía —dijo Peter—. Tenía muchas cosas en la cabeza —explicó, simplificando las cosas.

Kate sonrió, pero volvió a ponerse seria al pensar en su padre.

—También mi padre. Para él tampoco ha sido fácil.

Su mujer pensaba en Vicotec, pero Peter no podía olvidar a Olivia. Kate era demasiado independiente y fría con él. Ya no hacían nunca nada juntos, excepto ver algunas veces a sus amigos y jugar a tenis con su padre. Peter necesitaba algo más. Sólo tenía cuarenta y cuatro años y quería algo de romanticismo en su vida; quería un contacto más íntimo con su mujer, quería amistad, incluso algo de pasión. Deseaba que Katie le deseara, pero hacía veinticuatro años que se conocían y entre ellos ya no había la excitación de antaño. Había inteligencia, respeto, y una serie de intereses compartidos, pero Peter no sentía nada cuando la veía tumbada en la cama junto a él, y cuando lo sentía, ella siempre tenía llamadas que hacer, o reuniones a las que asistir, o una cita con su padre. Echaba de menos estar a solas con ella, hacer el amor, o simplemente sentarse y charlar. Olivia no sólo le había hecho notar lo que no tenía, sino que había experimentado con ella una pasión que con Katie no había conocido. La vida con Katie era más bien como ir al baile de fin de carrera. Con Olivia, era como ir al baile con la princesa del cuento. La comparación era un poco tonta y le hizo reír, hasta que vio que Katie lo estaba mirando.

—¿De qué te ríes? Estaba diciendo que todo esto ha sido muy duro para mi padre.

—Ése es el precio que se paga por dirigir un negocio como el nuestro —dijo Peter—. Es una gran responsabilidad y una pesada carga, y nadie ha dicho nunca que haya de ser fácil. —Estaba harto de oír hablar de Frank—. Pero no estaba pensando en eso. ¿Por qué no nos vamos a algún sitio tú y yo solos? Lo necesitamos. ¿Qué tal a Italia, o el Caribe, o Hawai? —Peter pensaba que un viaje podría insuflar nuevos aires a su matrimonio.

—¿Ahora? ¿Por qué? Estamos en septiembre y tengo un montón de compromisos. Y tú también. Tenemos que ocuparnos de los chicos y llevar a Mike a Princeton el próximo fin de semana. —Miró a su marido como si estuviera loco, pero él insistió.

—Después de que hayamos instalado a los chicos, pues. No quería decir hoy precisamente, sino dentro de unas semanas. ¿Qué te parece? —Miró a su mujer esperanzado, mientras ésta bajaba de la escalerilla, intentando sentir por ella algo que ya no sentía. Tal vez un viaje al Caribe serviría para reavivarlo.

—Tienes que ir a la audiencia de la FDA en septiembre. ¿No te has de preparar?

Peter no le dijo que no pensaba acudir por mucho que se empeñara Frank, y que tampoco a éste le dejaría ir. No podían cometer perjurio por la remota posibilidad de que todos los problemas se resolvieran antes de que Vicotec saliera a la venta.

—Deja que yo me ocupe de eso —replicó—. Tú dime cuándo te va bien y yo solucionaré los detalles. —Podía posponer su comparecencia ante el subcomité del Congreso si era necesario, porque al fin y al cabo era una cuestión de prestigio, mucho menos importante que su matrimonio.

—Tengo varias reuniones de la junta escolar este mes —contestó Katie con vaguedad, y abrió otro cajón lleno de suéteres. Mientras la contemplaba, Peter se preguntó qué quería decir en realidad.

—¿Preferirías no ir? —Tal vez Katie tuviera también sus problemas. Una súbita idea acudió a su mente: ¿tendría su mujer una aventura con otro? ¿Se había enamorado de otro hombre? No le parecía imposible, aunque nunca antes se le hubiera ocurrido. De repente se sintió tonto al darse cuenta de que ella era tan vulnerable como él, puesto que seguía siendo atractiva y bastante joven, pero no sabía cómo podía preguntárselo, a ella precisamente, que era tan fría y un poco remilgada. Peter la miró con los ojos entrecerrados, especulativamente, mientras ella echaba más bolas de naftalina en otra caja—. ¿Tienes algún motivo para no querer ir de viaje conmigo? —preguntó con la mayor sequedad de que fue capaz.

—No creo que sea el momento más adecuado, ahora que mi padre está tan preocupado con lo de Vicotec —contestó ella por fin, alzando la vista—. Creo que sería muy egoísta por nuestra parte irnos a una playa por ahí mientras él trabaja y se preocupa en la oficina.

Peter intentó disimular su indignación. Hacía ya dieciocho años que no oía hablar más que de Frank.

—Tal vez ahora necesitemos ser egoístas —insistió—. ¿No te preocupa a veces que, después de tantos años de casados, no nos prestemos la menor atención, ni a nuestras necesidades mutuas?

—¿Qué pretendes insinuar? ¿Que te has cansado de mí y que necesitas verme en una playa exótica para volver a poner un poco de excitación en tu vida? —Katie dio media vuelta para encararse con su marido. Sin saberlo se había acercado más a la verdad de lo que Peter se había atrevido a confesar.

—Sólo creo que sería agradable alejarse de tu padre, de los chicos, del contestador automático y de tus juntas escolares, y también de Vicotec. Incluso aquí nos agobia constantemente el fax, al menos a mí. Es como estar en la oficina, pero con arena. Me gustaría irme contigo a alguna parte, donde podamos charlar y recordar que estábamos locos el uno por el otro cuando nos conocimos, o cuando nos casamos.

Katie sonrió. Empezaba a comprender.

—Creo que te ha dado la crisis de la mediana

edad, y que estás nervioso por la audiencia de la FDA, que quieres escaparte y me utilizas a mí para hacerlo. Bueno, olvídalo. Te recuperarás. Todo terminará en un día y estaremos orgullosos de ti.

Kate sonreía al hablar, pero Peter se sintió desfallecer. Su mujer no había comprendido nada y menos aún que necesitaba de ella algo que no le estaba dando.

—Esto no tiene nada que ver con la FDA —dijo con firmeza, intentando serenarse—. Estoy hablando de nosotros, Kate.

En aquel momento les interrumpió Mike, que quería las llaves del coche. También les dijo que Patrick estaba abajo con dos amigos y quería saber si quedaban pizzas congeladas en alguna parte, porque se morían de hambre.

—¡Ahora mismo iba a la tienda! —gritó Kate a los de abajo, y miró a su marido por encima del hombro saliendo del dormitorio—. No te preocupes, todo saldrá bien.

Peter se quedó solo, sentado en el borde de la cama y sintiéndose vacío. Al menos lo había intentado, pero el consuelo era pequeño, puesto que nada había conseguido.

Esa noche, durante la fiesta, también Frank le habló de la FDA. Era como escuchar un disco rayado. Peter hizo todo lo posible por cambiar de tema, pero Frank estuvo un buen rato diciéndole que tenía que ser un «buen chico» y «aceptar las cosas». Estaba seguro de que sus equipos de investigación solucionarían todos los problemas antes de que Vicotec llegara al mercado. Frank opinaba que perderían prestigio y un importante terreno ya ganado si retiraban la petición de licencia. Para él, sería como poner una bandera roja que indicaría a toda la industria farmacéutica que tenían problemas.

—Podríamos tardar años en superarlo. Ya sabes lo que ocurre cuando se empiezan a esparcir ese tipo de rumores. Podría arruinar Vicotec para siempre.

—Tenemos que arriesgarnos, Frank —replicó Peter, con una copa en la mano. Era una letanía que ya se sabía de memoria, pero ambos hombres se mantenían firmes en sus respectivas posturas encontradas.

Peter se alejó de su suegro en cuanto pudo. Instantes después lo vio charlar con Katie. Supuso que hablarían de él y se deprimió más aún. Comprendió que su pequeño proyecto de vacaciones no se llevaría a cabo jamás, y no volvió a hablar de ello. Los dos días siguientes los dedicaron a cerrar la casa hasta el verano siguiente.

Durante el viaje de vuelta a la ciudad, los chicos hablaron sobre la vuelta al colegio. Paul estaba impaciente por reencontrarse con sus amigos de Andover. Patrick quería visitar Choate y Groton durante el otoño, y Mike no hacía más que hablar de Princeton.

—Es una lástima que tú no fueras, papá. Por lo que cuentan es fantástico.

—Estoy seguro, hijo, pero si hubiera ido allí no habría conocido a tu madre —dijo.

—Eso es cierto —replicó Mike con una sonrisa. Planeaba ingresar en el club al que había pertenecido su abuelo en cuanto se lo permitieran, que no sería hasta el segundo año. Siguió hablando sobre sus proyectos durante todo el trayecto, hasta que su padre acabó sintiéndose como un intruso, como si le excluyeran.

Al final, y dado que no hablaban con él, sus pensamientos derivaron hacia Olivia. Tan ensimismado estaba, que tuvo que dar un volantazo para esquivar un coche con el que estuvo a punto de chocar, y todos gritaron.

—¡Dios mío!, ¿qué haces papá? —preguntó Mike.

—¡Lo siento! —dijo Peter, y condujo con más cuidado, aunque sin dejar de pensar en Olivia y en lo que había dicho sobre él mismo. Seguía resultándole difícil creer que no se lo debiera todo a Katie y a su padre, sino a sí mismo, como había sugerido Olivia. Volvió a preguntarse dónde se hallaría Olivia. La noticia del colapso nervioso le parecía un cuento, una de esas tapaderas para ocultar un divorcio, o una aventura, o un *lifting*. Peter sabía que dos de esas posibilidades al menos eran improbables. Sólo podía pensar que, a pesar de todo, había abandonado a su marido o que éste había decidido declararla loca.

Dos días más tarde supo la verdad al recibir una postal de Olivia en la oficina. Le aguardaba sobre la mesa de su despacho cuando volvió de comer. La postal tenía un dibujo de un pequeño barco de pesca y el matasellos era de La Favière.

Estaba escrita con la letra menuda y pulcra de Olivia y resultaba algo críptica. «He vuelto. Escribo. Por fin. Estoy fuera de la carrera para siempre. No podía seguir. Espero que todo te vaya bien. No olvides lo valiente que eres. Todo lo has hecho tú. Hace falta más valor que para huir, como he hecho yo. Pero soy feliz. Cuídate. Mi amor para siempre.» Y firmaba sencillamente: «O.» Peter comprendió el mensaje entre líneas. Recordaba aún la voz ronca de Olivia al decirle que le amaba, y supo que se amarían los dos para siempre, aunque fuera en el recuerdo.

Volvió a leer la postal. Olivia era más valiente de lo que creía. El valor estaba en huir, no en quedarse, como él. La admiraba, y le alegró que hubiera escapado a una vida que no deseaba. Esperaba que fuera feliz y estaba convencido de que triunfaría en cuanto emprendiera, porque estaba dispuesta a ser como quería ser y a decir lo que pensaba. Conseguía penetrar en los sentimientos ajenos con gran perspicacia, como había hecho con él. No podían engañarla; era una mujer que vivía con sinceridad, por mucho que le costara. Peter envidió su recién adquirida libertad y se guardó la postal, esperando que nadie la hubiera visto.

Al día siguiente llegaron los resultados de las últimas pruebas efectuadas sobre Vicotec. Aun no siendo malas, Peter supo que eran desastrosas en cuanto a una posible comercialización. También su suegro sabía lo que significaban. Los dos hombres habían concertado una reunión para hablar extensamente sobre el tema el viernes, a las dos de la tarde y en la sala de juntas contigua al despacho de Frank.

Frank aguardaba a su yerno con expresión seria, sabiendo de antemano lo que Peter le iba a decir. Comentaron primero la marcha de Mike a

Princeton al día siguiente. Frank se sentía muy orgulloso de su nieto, pero no tardó en desviar la conversación hacia los negocios.

—Ambos sabemos para qué nos hemos reunido, ¿no? —dijo mirando a Peter a los ojos—. Y sé que no estás de acuerdo conmigo. —Todo su cuerpo parecía tenso, como una cobra a punto de saltar, y Peter se sentía como si fuera su presa intentando defenderse a sí mismo y la integridad de la compañía. Sin embargo, Frank se le adelantó, dispuesto a hacer valer su posición superior—. Creo que tendrás que confiar en mi criterio. Ya he pasado antes por situaciones parecidas. Hace casi cincuenta años que estoy en este negocio, y tienes que creerme cuando te digo que sé lo que me hago. No hacemos nada malo solicitando la licencia. Cuando lancemos el producto al mercado oficialmente, ya estará preparado. No me arriesgaría si no lo creyera así.

—¿Y si te equivocas? ¿Y si muere alguien? Aunque sólo sea una persona. ¿Qué ocurrirá entonces? ¿Qué diremos? ¿Cómo podremos vivir con nuestras conciencias?

Frank le acusó de ser un histérico, como «aquel idiota de París».

—Suchard sabe de lo que habla, Frank. Por eso le contratamos, para que nos dijera la verdad, aunque sea mala. Sé que ahora ya no está con nosotros, pero él abrió una caja de Pandora que no podemos volver a cerrar como si tal cosa. Lo sabes tan bien como yo.

—Yo no diría que diez millones de dólares en dos meses de nuevas investigaciones sean «cerrarla como si tal cosa», Peter. Y no hemos encontrado nada. Admítelo, nos lanzó a una caza de brujas... peor aún, a una búsqueda inútil e innecesaria. No hay nada concreto. Estamos hablando de un componente que «podría» reaccionar, o que «podría» causar una serie de circunstancias extraordinariamente raras en un caso de entre un millón, siempre que se dé la remota posibilidad de que todo salga mal y Vicotec no funcione de verdad. Por amor de Dios, dime, ¿crees que es razonable? Caray, si con sólo tomar dos aspirinas y una copa te puedes poner enfermo.

—Dos aspirinas y una copa no te matan. Vicotec puede matar si no tenemos cuidado.

—Pero lo tenemos. Precisamente ésa es la cuestión. Todos los medicamentos tienen sus riesgos, sus efectos secundarios, sus contraindicaciones. Si no estuviéramos dispuestos a arriesgarnos, tendríamos que cerrar las puertas y dedicarnos a vender golosinas por las ferias. Dios mío, Peter, deja de acosarme, sé sensato. Quiero que comprendas que pasaré por encima de ti en este asunto. Iré a la audiencia de la FDA yo mismo si es necesario, pero quiero que sepas por qué. Quiero que comprendas que estoy convencido de que Vicotec es seguro, ¡estoy dispuesto a apostar mi vida en ello! —concluyó. Su voz se había ido haciendo cada vez más alta, hasta que acabó hablando a gritos. Tenía el rostro congestionado y de repente Peter se dio cuenta de que temblaba y de que estaba sudoroso; incluso tuvo que beber un vaso de agua.

—¿Estás bien? —preguntó Peter—. No merece la pena que apuestes tu vida por esto. De eso se trata precisamente. Tenemos que analizar el tema clínicamente y abordarlo con tranquilidad. No es más que un producto, Frank. Yo deseo que funcione más que nadie en el mundo, pero al final servirá o no servirá, o tal vez nos cueste más tiempo del que pensábamos. Nadie quiere que salga al mercado más que yo, pero no «a cualquier precio», ni mientras haya un solo factor del que no estemos seguros. Hay un cabo suelto en alguna parte. Lo sabemos. Hasta que lo descubramos no podemos permitir que nadie use el producto. Es así de sencillo. —Hablaba clara y concisamente, y cuanto más se agitaba Frank, más sereno estaba él.

—¡No, Peter, no! ¡No es tan sencillo! —gritó Frank, cuya furia había aumentado, provocada por la serenidad de su yerno—. Cuarenta y siete millones de dólares en cuatro años no hacen nada sencillo. ¿Cuánto dinero crees que nos va a costar todo esto, por amor de Dios? ¿De cuánto dinero crees que disponemos?

—Del suficiente como para hacer las cosas bien, espero, o para abandonar el producto. Siempre nos queda esa opción —replicó Peter, procurando no caer en el tono desagradable de su suegro.

—¡Y un cuerno! —Frank se había puesto en pie—. ¿Crees que voy a tirar por la ventana cincuenta millones así como así? ¡Estás loco! ¿De quién crees que es el dinero, tuyo? Bueno, pues déjame decirte que es mío, y de la compañía y de Katie, y que me aspen si voy a permitir que me fastidies. Ni siquiera estarías aquí si yo no te hubiera comprado, empaquetado y etiquetado para mi hija.

Estas palabras golpearon a Peter con la fuerza de un garrote, y le dejaron sin aliento. De repente recordó lo que le había dicho su padre dieciocho años antes: «Siempre te considerarán un cazadotes si te casas con ella, hijo.» Se puso en pie, y de haber sido Frank más joven, le habría dado un puñetazo.

—No pienso quedarme a escucharte —dijo Peter, notando que le temblaba el cuerpo por la tensión de reprimirse para no golpearle.

Pero Frank no quería dejarlo; cogió a Peter por un brazo y siguió gritando.

—Escucharás todo lo que tenga que decirte, maldita sea, y harás lo que te ordene. Y no me mires con esa cara de mártir, hijo de puta. Katie podía haberse casado con cualquiera, pero te quería a ti, así que te hice lo que ahora eres, para que no tuviera que avergonzarse. Pero no eres nada, ¿me oyes?, ¡nada! Empiezas con ese proyecto de los cojones, nos cuestas millones, nos haces promesas, ves fantasías y luego, cuando surge un pequeño problema con un idiota francés que ve visiones, nos das una puñalada trapera. Bueno, pues déjame decirte algo. ¡Antes te veo muerto que dejarte salir con la tuya! —Al pronunciar estas palabras, se llevó la mano al corazón y empezó a toser convulsivamente. Su rostro se había cubierto de un tinte escarlata y no podía respirar. Se aferró a los brazos de Peter, que sujetó al anciano. Pero éste se desplomó, arrastrando casi a su yerno con él.

Por un instante Peter se quedó mudo de asombro, pero enseguida comprendió lo ocurrido. Depositó a Frank en el suelo rápidamente y llamó a urgencias. Frank seguía tosiendo y empezó a vomitar. Peter colgó y se arrodilló junto a él, lo colocó de costado e intentó evitar que se ahogara con su propio vómito. Aún respiraba, aunque con dificultad, y apenas estaba consciente. A Peter aún le escocía todo lo que le había dicho el anciano, al que nunca hubiera creído capaz de soltar tanto veneno, tanto que quizá acabaría matándole. Mientras permanecía allí agachado, sosteniendo la cabeza de su suegro, sólo podía pensar en lo que diría Katie si su padre llegaba a morir. Le echaría toda la culpa a él por mostrarse intransigente en el tema de Vicotec, pero jamás se enteraría de lo que Peter había tenido que oír, de las cosas imperdonables que Frank le había arrojado a la cara. En cuanto a él, tanto si Frank moría como si no, jamás le perdonaría ni las olvidaría. No habían sido sólo insultos que se dicen en un momento de ira, sino armas malévolas que había guardado durante años para usarlas un día contra él. Aquellas frases le habían traspasado como dagas y jamás podría olvidarlas.

Los enfermeros ya habían llegado para ocuparse de Frank. Peter se levantó y se hizo a un lado con la ropa cubierta de vómitos. La secretaria de Frank se hallaba en el umbral de la puerta, completamente histérica. En el pasillo había varias personas. Uno de los sanitarios alzó la vista hacia Peter y meneó la cabeza. Frank había dejado de respirar. Sus dos compañeros sacaron el desfibrilador y le rasgaron la camisa. Se arrodillaron y estuvieron media hora intentando reanimar a Frank. Peter empezaba a pensar que ya no quedaban esperanzas cuando uno de los sanitarios pidió una camilla. El corazón de Frank volvía a latir, débil e irregularmente, y él respiraba de nuevo. Cuando la camilla pasó junto a Peter, Frank le miró con los ojos borrosos y la mascarilla de oxígeno puesta. Peter le tocó una mano y luego ordenó a la secretaria que llamara al médico de su suegro. En el New York Hospital le aguardaba ya un equipo de cardiólogos.

—Ahora mismo voy hacia allí —dijo Peter a los sanitarios, y fue corriendo al lavabo de caballeros para arreglarse. Tenía siempre una camisa limpia en un cajón de su despacho, pero pantalones, chaqueta y zapatos estaban cubiertos de vómitos.

Cinco minutos más tarde Peter salió del lavabo con la camisa limpia, los mismos pantalones —que había limpiado lo mejor posible—, un suéter y zapatos impecables. Fue a su despacho para llamar a Katie. Afortunadamente su mujer se hallaba aún en casa. Cuando contestó al teléfono, Peter tuvo que tragar saliva; no sabía cómo decírselo.

—Katie... me... me alegro de que estés en casa.

Kate se extrañó. Su marido se había comportado de un modo muy raro últimamente, irritable y deprimido. Unas semanas antes veía la televisión sin parar, y luego no la veía en absoluto. Durante unos días había estado obsesionado con la CNN, y luego le había hecho aquella proposición tan extraña de irse de vacaciones solos.

—¿Ocurre algo? —Consultó su reloj. Aún tenía varias cosas que hacer para Mike antes de que lo llevaran a Princeton al día siguiente. El chico necesitaba una alfombra para su habitación y una colcha nueva.

—Sí... Katie, ahora está bien, pero se trata de tu padre. —Katie contuvo la respiración—. Ha tenido un ataque al corazón en la oficina. —Peter no le dijo lo cerca que había estado de morir, ni que su corazón se había detenido unos segundos. Los médicos se lo dirían más adelante—. Le acaban de llevar al New York Hospital y yo salgo ahora para allá. Creo que deberías venir en cuanto puedas. Se siente un poco débil.

—¿Está bien? —preguntó Katie con el tono de alguien a quien acabara de caérsele el mundo encima. Peter tuvo la desagradable sensación de que no daría esa impresión si le hubiera ocurrido a él en lugar de a su padre. ¿Tenía razón Frank y no era más que un juguete que habían comprado?

—Creo que se pondrá bien. Durante un rato tuvo mal aspecto, pero los de urgencias se han portado fenomenalmente bien. —De repente Peter se dio cuenta de que su mujer estaba llorando—. Tranquilízate, cariño. Está bien, pero creo que deberías ir a verle. —De pronto se le ocurrió que su mujer no estaba en condiciones de conducir—. ¿No está Mike en casa? —Katie contestó que no entre sollozos. Paul sólo tenía carnet provisional, y no conducía lo bastante bien como para conducir desde Greenwich hasta Nueva York—. ¿Por qué no le pides a un vecino que te traiga?

—Puedo conducir yo —replicó Katie—. ¿Cómo ha sido? Ayer estaba bien. Siempre ha tenido una salud excelente.

—Tiene setenta años, Kate, y soporta una gran presión.

Kate dejó de llorar y preguntó con tono seco:

—¿Os estabais peleando otra vez? —Sabía que

tenían una reunión para discutir sobre el tema de Vicotec.

—Estábamos hablando. —Peter no mencionó a su mujer los insultos de Frank, demasiado dolorosos, sobre todo a la luz de lo sucedido. Era mejor que Katie no lo supiera si su padre moría.

—Haríais algo más que hablar para que le haya dado un ataque al corazón —dijo ella con tono acusador. Pero Peter no quería perder más tiempo al teléfono y así se lo dijo.

—Creo que es mejor que vengas. Hablaremos de eso más tarde. Lo han llevado a la UCI —dijo con tono cortante, y ella volvió a sollozar—. Salgo hacia allí ahora mismo. Te llamaré al coche si hay algún cambio. Asegúrate de que tienes el teléfono conectado.

—Desde luego —dijo ella, sonándose la nariz—. Y tú no le digas nada que pueda excitarlo.

Frank no estaba precisamente en disposición de escuchar a nadie cuando su yerno llegó al hospital veinte minutos después. Acababan de sedarlo y su tez había pasado del color grana al gris. Estaba despeinado, tenía aún restos secos de vómito en el mentón y el pecho desnudo, cubierto de cables y sensores. Estaba conectado a media docena de máquinas y parecía más viejo y enfermo que una hora antes. El médico explicó a Peter que aún no había pasado el peligro, que el ataque había sido muy grave y que corría el riesgo de que se repitiera. Todo dependería de las veinticuatro horas siguientes.

Peter aguardó a Katie en el vestíbulo de la planta baja e intentó avisarla antes de que subiera.

Su mujer llegó vistiendo tejanos y camiseta, con el cabello revuelto y ojos de pánico.

—¿Cómo está? —preguntó por quinta vez desde que había llegado, mientras subían en el ascensor. Estaba completamente trastornada.

—Ya lo verás. Tranquilízate. Creo que su aspecto es peor que su estado.

Desde luego Kate no estaba preparada para lo que vio cuando por fin entraron en la UCI. Enseguida se echó a sollozar y tuvo que hacer esfuerzos para no llorar descontroladamente mientras permanecía junto a su padre aferrándole la mano. Frank abrió los ojos y reconoció a su hija antes de volver a sumirse en el sueño inducido por los sedantes.

—Oh, Dios mío —exclamó Kate, a punto de desmayarse en los brazos de Peter, que la acompañó fuera de la habitación y la hizo sentar en una silla; una enfermera le llevó un vaso de agua—. No me lo puedo creer. —Lloró sin parar durante la media hora siguiente, hasta que el médico volvió y les dijo que Frank tenía un cincuenta por ciento de posibilidades de sobrevivir.

Sus palabras no hicieron más que renovar los sollozos histéricos de Kate, que se pasó el resto de la tarde llorando en una silla junto a la puerta de su padre, al que entraba a visitar cada media hora durante cinco minutos, aunque la mayoría de las veces Frank estaba inconsciente. Hacia el final de la tarde Peter intentó llevarse a su mujer a comer algo, pero ella se negó rotundamente, afirmando que dormiría en la sala de espera y que no pensaba marcharse un solo instante.

—Kate, tienes que descansar —repuso Peter suavemente—. No le ayudarás en nada si tú también caes enferma. No se despertará en las próximas horas. Puedes ir al apartamento a descansar un rato y yo te llamaré si es necesario.

—No malgastes saliva —replicó ella con obstinación, con la expresión de una niña rebelde—. Me quedo con él. Dormiré aquí esta noche y todo el tiempo que sea preciso hasta que esté fuera de peligro.

—Yo debería ir a casa para ocuparme de los chicos —dijo Peter pensativamente, y ella asintió, pero sus hijos era lo último en lo que pensaba en aquellos momentos—. Volveré esta noche —añadió Peter, y ella volvió a asentir—. ¿Estarás bien? —preguntó, pero ella apenas lo miró. Pensaba únicamente en su padre y en la posibilidad de perderlo. Ni siquiera podía imaginar qué haría sin él. Durante los veinte primeros años de su vida su padre lo había sido todo para ella, y en los veinte siguientes, una de las personas más importantes. Peter opinaba que Frank era un objeto de amor, una especie de pasión, una obsesión casi. Aunque nunca lo había dicho, creía además que lo quería más que a sus propios hijos—. Se pondrá bien —aseguró a su mujer en voz baja, pero ella se limitó a sacudir la cabeza y seguir llorando.

Peter volvió a casa a la mayor velocidad posible, teniendo en cuenta que era viernes. Afortunadamente los tres chicos estaban en casa cuando llegó, y pudo contarles con todo el tacto de que fue capaz lo que le había ocurrido a su abuelo. Los tres se preocuparon mucho y Mike inquirió más detalles.

Su padre se limitó a tranquilizarlos y comentó que se hallaban en una reunión de trabajo en el momento en que se produjo el ataque. Mike quiso ir a verlo, pero Peter pensaba que era mejor esperar hasta que Frank hubiera superado lo peor.

—¿Y mañana, papá? —preguntó Mike.

—Yo te llevaré a Princeton por la mañana —replicó Peter. Sabía que estaba todo preparado menos la alfombra y la colcha que Kate no había podido comprar, pero podría prescindir de ambas por el momento—. Creo que tu madre quiere quedarse con el abuelo.

Peter llevó a sus hijos a cenar y hacia las nueve volvió a Nueva York. Llamó a Kate desde el teléfono del coche y su mujer le dijo que no había cambios.

A las diez Peter estaba ya en el hospital, donde permaneció junto a su mujer hasta la medianoche. A las ocho de la mañana del día siguiente llevó a Mike a Princeton con todas sus maletas, bolsas y equipos deportivos; allí tendría que compartir habitación con otros dos chicos. A mediodía Peter volvía a Nueva York, adonde llegó hacia las dos, para ver a su suegro. Recibió una gran sorpresa cuando entró y vio a Frank sentado en la cama, débil, cansado y pálido aún, pero con un pijama limpio y los cabellos perfectamente peinados, mientras Kate le daba una sopa a cucharadas como a un niño pequeño.

—Vaya, vaya —dijo al entrar—. Yo diría que has conseguido salir de ésta —comentó, y Frank le dedicó una sonrisa. Peter sentía recelo después de lo que había tenido que oír de su suegro, aunque ciertamente se alegraba de verlo tan mejorado—. ¿De dónde has sacado ese pijama tan elegante?

Kate tenía una sonrisa radiante en los labios. Ella no tenía el desagradable recuerdo de lo sucedido el día anterior ni la imagen de Frank tendido en el suelo, cubierto por su propio vómito.

—He hecho que lo trajera un mensajero de Bergdorf —explicó Kate—. La enfermera ha dicho que a lo mejor trasladarán a papá a una habitación privada mañana si sigue mejorando. —Kate parecía exhausta, pero no vacilaba. Por su padre habría dado la vida, hasta la última gota de sangre de haber hecho falta.

—Bueno, eso sí son buenas noticias —dijo Peter, y procedió a comentar el traslado de Mike a Princeton, lo que agradó a Frank sobremanera. Un rato después, Kate ayudó a su padre a tumbarse para dormir un rato y luego salió al pasillo con su marido. Una vez fuera, su rostro perdió la animación con que había estado dando la sopa a su padre, y Peter comprendió que se avecinaba una tormenta.

—Papá me ha contado lo de ayer —dijo Kate, lanzándole una mirada recriminatoria mientras paseaban por el pasillo.

—¿Qué significa eso? —También Peter estaba cansado, y no tenía interés en jugar al gato y al ratón con su mujer. Le parecía increíble que su suegro hubiera confesado sus injustos exabruptos del día anterior o repetido sus palabras. Jamás Peter le había visto disculparse ni admitir un error, ni siquiera uno tan evidente.

—Lo sabes de sobra —replicó ella, deteniéndose—. Me ha dicho que le amenazaste y que estuviste a punto de llegar a la violencia.

—¿Que te ha dicho qué?

—Me ha dicho que jamás te había visto tan desquiciado y que te negaste a atender a razones. Fue demasiado para él y... y... entonces... —Kate se echó a llorar y no pudo seguir hablando durante un rato, pero la mirada que clavaba en Peter estaba llena de acusaciones—. Casi matas a mi padre. Lo habrías conseguido de no ser porque es un hombre fuerte... y decente... —Apartó los ojos, incapaz de continuar mirando a su marido, pero Peter oyó claramente lo que añadió—: No creo que pueda perdonarte jamás.

—Pues ya somos dos —dijo él, lanzándole una mirada de rabia—. Te sugiero que le preguntes qué me dijo antes de caer al suelo. Creo que fue algo sobre que me había comprado, empaquetado y etiquetado hace años, y que prefería verme muerto si no me presentaba a esa maldita audiencia de la FDA.

Kate vio algo en los ojos azules de su marido que jamás había visto antes. Luego Peter se alejó a grandes zancadas y se metió en el ascensor. Kate no hizo el menor movimiento para seguirlo, pero a él ya no le importaba. Ya no le cabía ninguna duda: la lealtad de Kate era enteramente para su padre.

11

Frank se recuperó con sorprendente rapidez de su crisis cardíaca. Le dieron el alta al cabo de dos semanas, y Katie se fue a vivir con él. A Peter le pareció que era lo mejor, puesto que ambos necesitaban tiempo para pensar y decidir cuáles eran sus mutuos sentimientos. Kate no se disculpó por sus palabras del hospital, y Peter no volvió a sacar el tema a colación, pero tampoco él había perdonado. Frank, claro está, no volvió a mencionar que hubiera «comprado» a Peter y, de hecho, éste no creía siquiera que lo recordara.

Peter se mostraba cordial con su suegro siempre que iba a visitarlo, lo que hacía por mostrarse cortés y por ver a Kate, pero la relación entre los dos hombres era más que fría. También Kate se mantenía distanciada de su marido, y estaba demasiado ocupada con su padre para prestar atención a Patrick. Peter se encargó, pues, de su hijo, lo que en realidad no suponía ninguna molestia para él. Mike llamó varias veces desde Princeton y aseguraba que se sentía muy feliz allí.

Dos semanas después de su ataque al corazón,

Frank volvió a plantear el tema de la FDA. Nadie había cancelado la audiencia, que debía celebrarse unos días después.

—¿Y bien? —inquirió Frank, recostándose sobre las almohadas que Kate acababa de ahuecarle. Estaba impecablemente limpio y afeitado y su barbero le había cortado el pelo ese mismo día. Parecía el reclamo de un anuncio de pijamas y sábanas caras en lugar de un anciano que regresaba de las puertas de la muerte, pero Peter no quería en modo alguno perturbar su convalecencia—. ¿Cómo va todo últimamente? ¿Qué dicen los investigadores?

—No creo que debamos hablar de eso ahora —contestó Peter.

Kate se hallaba abajo, haciendo la comida para su padre, y Peter no sentía el menor deseo de iniciar una nueva trifulca para luego tener que enfrentarse también con su mujer. En lo que a él concernía, hasta que los médicos le dijeran lo contrario, Vicotec era un tema tabú para Frank.

—Es necesario —dijo Frank, inamovible—. Sólo faltan unos días para la audiencia. No lo he olvidado. Ayer hablé con la oficina y según el departamento de investigación los resultados son excelentes.

—Con una excepción —corrigió Peter.

—En una prueba menor, realizada con cobayas en condiciones excepcionales. Lo sé todo. Pero al parecer está completamente fuera de lugar, porque las condiciones de esa prueba no podrían reproducirse jamás en los seres humanos.

—Eso es cierto —admitió Peter, rezando para

que Kate no entrara en ese momento—, pero técnicamente, según las exigencias de la FDA, eso nos descalifica. Sigo diciendo que no debemos pedir la licencia para comercializar el producto. —Además, no se había completado una nueva serie de pruebas como las realizadas en Francia que eran, en definitiva, las más decisivas—. Tenemos que volver a comprobar las pruebas de Suchard. Ahí es donde surgen los auténticos defectos. Todo lo que hemos hecho hasta ahora han sido pruebas rutinarias.

—Podemos hacerlo antes de lanzar Vicotec al mercado, y la FDA no tiene por qué saberlo ahora. Hasta ahora hemos superado todos sus controles. Ellos no quieren saber nada más. Eso debería bastarte —añadió cáusticamente.

—Y me bastaría si Suchard no hubiera descubierto un problema y si no cometiéramos perjurio al ocultar ese hecho.

—Te doy mi palabra —dijo Frank, haciendo caso omiso de lo que decía su yerno— de que si surge alguna cosa... cualquiera... el más leve indicio de un problema en las pruebas siguientes, lo retiraré. No estoy loco. No quiero verme envuelto en un pleito de cien millones de dólares. No pretendo matar a nadie, pero tampoco quiero que este asunto acabe con nosotros. Tenemos lo que necesitamos, usémoslo. Si te doy mi palabra de continuar con las pruebas hasta las últimas consecuencias aunque nos den la licencia para comercializarlo, ¿te presentarás a la audiencia? Peter, ¿qué daño puede hacer eso? Por favor...

Peter sabía que no estaba bien, que era prematuro y peligroso. En cuanto tuvieran la licencia, podrían lanzar el producto al mercado cuando quisieran, y no confiaba en que su suegro se abstuviera de hacerlo. Se contaban historias sobre otros productos de la compañía que aguardaban empaquetados y cargados en camiones a la aprobación de la FDA para ser entregados inmediatamente. Peter temía que su suegro tuviera en mente algo parecido para Vicotec. Si Frank no se había mostrado razonable hasta entonces, no tenía razón alguna para creer que no pudiera abusar de su confianza después, lo que podía ocasionar muchas víctimas. Peter no podía prestarse a semejante juego.

—No puedo —replicó con tristeza—. Ya lo sabes.

—Esto es una venganza... por lo que te dije. Por amor de Dios, tú sabes que no lo dije en serio.

Así pues, lo recordaba. ¿Lo había dicho por crueldad o porque lo creía realmente? Peter nunca lo sabría, y no lo olvidaría, pero no era vengativo.

—No tiene nada que ver con eso. Es una cuestión ética.

—Tonterías. ¿Qué quieres entonces? ¿Un soborno? ¿Una garantía? Tienes mi palabra de que no seguiremos adelante si hay algún problema cuando concluyan las pruebas. ¿Qué más necesitas?

—Tiempo. Es sólo cuestión de tiempo —contestó Peter con tono cansino. Los Donovan le habían agotado física y moralmente en las dos últimas semanas y, bien mirado, desde hacía mucho más tiempo.

—Es una cuestión de dinero. Y de orgullo. Y de

prestigio. ¿Podrías calcular las pérdidas para la empresa si cancelamos la solicitud? Incluso perjudicaría a otros productos.

Se hallaban de nuevo en el mismo callejón sin salida, en el que ninguno de los dos quería ceder en su postura. Cuando Katie volvió con la comida de Frank, ambos hombres tenían el semblante sombrío, y ella sospechó que habían estado tratando temas prohibidos para Frank.

—No estaréis hablando de negocios, ¿eh? —les dijo, y ellos negaron con la cabeza, pero Peter tenía expresión culpable.

Instantes después, Kate acorralaba a su marido en la cocina.

—Pensaba que querrías compensarle después de todo.

—¿Compensarle por qué?

—Por lo que hiciste. —Seguía creyendo que Peter había estado a punto de matar a su padre, que le había provocado el ataque al corazón con sus negativas, y nada de lo que él dijera le haría cambiar de opinión—. En cierto sentido se lo debes. No harías ningún mal presentándote a la audiencia. Es una cuestión de salvar la cara. Él se arriesgó pidiendo una licencia anticipada y ahora no quiere admitir que aún no está preparado. No va a lanzar el producto al mercado si es peligroso. Tú le conoces. No es estúpido, ni está loco. Pero está enfermo y es viejo, y tiene derecho a no perder su prestigio ante todo el país. Podrías ayudarle si quisieras, si te importara algo —dijo con tono agrio—. No creo que sea mucho pedir, a menos que no te importe en absoluto lo que pueda pasarle a él. Papá me ha contado que el otro día te dijo algunas cosas muy desagradables porque estaba sobreexcitado, pero estoy segura de que no decía lo que pensaba. La cuestión es si tú eres lo bastante maduro como para perdonarle. ¿O vas a hacerle pagar por eso, negándole la única cosa que te pide? Tienes que presentarte ante el Congreso, además, así que no te cuesta nada acudir a la audiencia de la FDA. Se lo debes después de lo que le hiciste. Ahora no puede presentarse él. Eres el único que puede hacerlo.

Kate planteaba el asunto de tal manera que Peter se sintió como un auténtico hijo de puta por negarse a ayudar a su suegro. También parecía convencida, igual que su padre, de que intentaba vengarse de Frank por las cosas que le había dicho. En resumidas cuentas, todo sonaba mezquino y retorcido.

—Una cosa no tiene nada que ver con la otra, Kate. Es mucho más complicado de lo que crees. Es una cuestión de integridad y de ética. Tiene que pensar en algo más que en salvar la cara. ¿Qué supondría la gente, el gobierno por ejemplo, si llegaran a descubrir que habíamos solicitado la licencia prematuramente? No volverían a confiar en nosotros nunca más. Podría destruir el negocio. —Peor aún, podría destruirle a él, porque iba en contra de todos sus principios.

—Él me ha asegurado que lo retirará si es necesario. Todo lo que has de hacer es darle un período de gracia y presentarte ante la FDA. —Kate resultaba más convincente que su padre. En su boca, todo parecía intrascendente, como si le estuviera pidiendo una nimiedad y no pudiera comprender por qué se negaba a complacerla, porque le daba a entender que también se lo debía a ella como prueba de que aún la quería—. Todo lo que te pide es un favor, nada más. ¿Tan mezquino eres que no puedes concedérselo? Sólo por esta vez. Ha estado a punto de morir. Se lo merece. —Parecía Juana de Arco agitando su estandarte ante él. Peter la miró y notó que su determinación flaqueaba. Kate le colocaba en una nueva situación en la que se sentía como si toda su vida estuviera en juego, y las apuestas eran demasiado altas para que consiguiera resistirse—. ¿Peter? —Miró a su marido, repentinamente seductora, como la vampiresa que nunca había sido, dotada de una sabiduría suprahumana.

Peter no tuvo fuerzas siquiera para contestar. Asintió sin pensar. Y Kate lo comprendió. Lo había conseguido. Ella era la vencedora.

12

La noche anterior a su partida con destino a Washington fue una pesadilla para Peter. Le parecía imposible que hubiera cedido a las exigencias de Kate y su padre. Desde ese momento su mujer se había mostrado muy agradecida y Frank no sólo había mejorado a marchas forzadas, sino que rebosaba cordialidad y alabanzas para su yerno. Peter se sentía como en otro planeta en el que nada era real, donde su corazón se había vuelto de piedra y su cerebro de aire.

En el aspecto intelectual podía razonar de igual forma que Frank, justificándose a sí mismo, diciéndose que Vicotec estaba casi listo, y que si seguía habiendo algún pequeño defecto podrían retirarlo antes de que saliera al mercado. Moralmente lo que hacían estaba mal; todos lo sabían. Sin embargo, Peter ya no tenía elección, porque ya se había comprometido con Kate y su padre. El problema vendría después, cuando tuviera que vivir con su conciencia. Tal vez sería cuestión de ir alterando su ética gradualmente, pero entonces, ¿no acabaría violando otros principios en los que había creído hasta entonces? Se hallaba en un dilema filosófico muy interesante y, de no sentirse como si toda su vida estuviera en juego, aún se lo habría parecido más, pero lo cierto es que no podía comer ni dormir, perdió varios kilos en unos días, y su aspecto era terrible. Su secretaria le preguntó si estaba enfermo un día antes de que saliera hacia Washington; él se limitó a menear la cabeza y a decir que tenía exceso de trabajo. La convalecencia de Frank duraría un mes, por lo que Peter tenía una mayor carga de responsabilidades sobre sus hombros.

Ese último día antes de la audiencia, Peter se quedó hasta tarde en su despacho, echando un vistazo a los últimos resultados de las investigaciones. Realmente todo parecía correcto, menos un pequeño detalle que se correspondía perfectamente con lo que le había advertido Suchard en junio. Según los investigadores de la empresa se trataba de un problema relativamente menor y Peter no se molestó siquiera en llamar a Frank para contárselo; no le hubiera servido de nada. No obstante, se llevó los informes a casa y los volvió a leer por la noche. A las dos de la madrugada seguían preocupándole. Katie estaba dormida en la cama. Había abandonado ya la casa de su padre y, de hecho, pensaba acompañar a Peter a Washington. Padre e hija estaban de muy buen humor desde la capitulación de Peter, pero Kate no se había privado de criticarle por su modo de exagerar las cosas, y fingía creer que sólo estaba nervioso porque tenía que comparecer ante el Congreso.

Eran las cuatro de la mañana y Peter seguía en

su despacho de Greenwich pensando en los informes y mirando por la ventana. Deseó tener a algún experto con quien hablar. No conocía demasiado a los miembros de los equipos de investigación de Alemania y Ginebra, y su relación con el nuevo director de París no era del todo buena. Resultaba evidente que Frank había escogido a este último por su maleabilidad, pero era también demasiado científico en su manera de exponer las cosas y a Peter le daba la impresión de que hablaba en chino. De pronto tuvo una inspiración y buscó un número de teléfono en la agenda de su mesa. En París era la una de la tarde y, si tenía suerte, Suchard no habría salido a comer. Preguntó por él en cuanto le respondió la centralita de la nueva empresa de Suchard y poco después contestaba él mismo.

—*Allô?*

—Hola, Paul-Louis —dijo Peter con tono de cansancio. Esperaba que el francés le ayudara a tomar una decisión con la que al menos pudiera sentirse a gusto—. Soy Benedict Arnold.

—*Oui? Allô?* ¿Quién es? —preguntó Suchard, confundido.

—Era un traidor al que fusilaron hace mucho tiempo —contestó Peter con una sonrisa, y luego añadió en francés—: *Salut*, Paul-Louis. Soy Peter Haskell.

—*Ah... d'accord.* —Suchard lo comprendió todo al instante—. Así pues, ¿va a hacerlo? ¿Le han obligado?

—Ojalá pudiera decir que me han obligado —replicó Peter. Era demasiado caballeroso para explicarle lo ocurrido—. He claudicado por diversas razones. Hace tres semanas Frank tuvo un ataque al corazón que estuvo a punto de acabar con su vida. Las cosas no han sido igual desde entonces.

—Comprendo —dijo Suchard—. ¿Qué puedo hacer por usted? —Ahora trabajaba para una compañía rival de la de Peter, pero guardaba a éste cierto afecto—. ¿Desea alguna cosa?

—La absolución, creo, aunque no me la merezco. Me han entregado unos nuevos informes y creo que están correctos, si los he interpretado bien. Sustituimos dos de los componentes y todo el mundo parece pensar que eso ha resuelto el problema, pero hay unos resultados un tanto extraños que no estoy seguro de comprender y había pensado que usted podría arrojar cierta luz sobre ellos. Lo que quiero saber es si vamos a matar a alguien con Vicotec, si sigue siendo peligroso o si vamos por el buen camino. ¿Tiene tiempo para repasar los resultados conmigo?

Suchard no disponía de tiempo, pero estaba dispuesto a hacerlo por Peter. Le dijo a su secretaria que no le pasara ninguna llamada y volvió a ponerse al teléfono.

—Mándemelos por fax —dijo.

Peter lo hizo y aguardó a que Paul-Louis los leyera. Durante la hora siguiente repasaron los informes una y otra vez, y Peter contestó a numerosas preguntas. Se hizo después otra larga pausa. Cuando Paul-Louis habló, Peter percibió en su voz que había tomado una decisión.

—Es muy subjetivo, como comprenderá. En esta fase las interpretaciones no son necesariamente definitivas. Desde luego es bueno, es un producto extraordinario que cambiará nuestra capacidad para tratar el cáncer, pero hay elementos adicionales que también deben evaluarse. Esta evaluación es la más difícil de dar. No hay nada seguro en la vida, nada que no sea arriesgado o que no tenga un coste. La cuestión es si están dispuestos a pagarlo.

—La cuestión primordial es el grado de riesgo que deberíamos correr.

—Lo comprendo. —Era también lo que le preocupaba a él en junio, durante la estancia de Peter en París—. Sin duda las nuevas investigaciones han sido positivas. Ahora se hallan en el camino correcto... —Su voz se perdió mientras encendía un cigarrillo con el entrecejo fruncido. Todos los científicos que Peter había conocido en Europa eran fumadores.

—Pero ¿hemos llegado ya? —preguntó Peter con tono vacilante, temiendo la respuesta.

—No, aún no —contestó Suchard con pesar—. Tal vez llegarán pronto si continúan esta línea de investigación, pero aún falta. En mi opinión Vicotec sigue siendo potencialmente peligroso, sobre todo en manos profanas. —Es decir, precisamente las manos a las que se destinaba el producto.

—¿Sigue siendo un asesino, Paul-Louis?

—Creo que sí. —La voz al otro lado del océano parecía disculparse, pero era clara—. Aún no lo han conseguido, Peter. Déles tiempo y lo lograrán.

—¿Y la audiencia de la FDA?

—¿Cuándo es?

Peter consultó su reloj.

—Dentro de nueve horas. A las dos de la tarde

de aquí. Saldré de casa en dirección a Washington dentro de dos horas. —Tenía que coger el avión a las ocho de la mañana para presentarse ante el Congreso a las once.

—No le envidio, amigo mío. Poco más puedo decir. Si quiere ser honrado, debe decirles que Vicotec será una medicina maravillosa, pero que aún no está lista.

—Uno no puede presentarse ante la FDA para decir eso. Les estamos pidiendo que nos concedan la licencia anticipada. Frank quiere lanzarlo al mercado a finales de año.

Suchard emitió un silbido.

—Eso es terrible. ¿Por qué insiste tanto?

—Quiere retirarse en enero. Sería como su regalo de despedida para la humanidad, pero más bien parece una bomba de relojería.

—Lo es, Peter. Usted lo sabe.

—Sí, pero nadie más quiere escucharme. Frank dice que retirará el producto antes de final de año si no está listo para entonces, pero sigue insistiendo en que vaya a Washington. A decir verdad, es una larga historia. —Peter veía claramente que aquella arriesgada jugada ponía en peligro todo el negocio, pero los cálculos de Frank se basaban en su ego y su tozudez rayaba en la enajenación mental.

Peter agradeció a Paul-Louis sus consejos. El francés le deseó suerte y colgó. Peter fue a preparar café. Aún tenía la opción de retirarse, pero no sabía cómo hacerlo. También podía ir a la audiencia y luego dimitir de la Wilson-Donovan, pero con eso no protegería a las personas a las que pretendía ayudar. El mayor problema era que no confiaba en que Frank retirara el producto una vez obtenida la licencia para comercializarlo, aunque las investigaciones finales no fueran positivas. Un sexto sentido le decía que lo había prometido con demasiada facilidad y que la tentación de ganar millones sería demasiado grande.

Katie le oyó en la cocina y bajó. Encontró a Peter sentado a la mesa, bebiéndose la segunda taza de café. Jamás le había visto con un aspecto semejante, casi peor que su padre después del ataque al corazón.

—¿Por qué estás tan preocupado? —preguntó, poniendo una mano sobre su hombro. Peter no contestó. No serviría de nada explicárselo a quien ni siquiera intentaría comprenderlo—. Habrá terminado antes de que te des cuenta —añadió. Para ella era algo tan sencillo como empastarse una muela cariada, y no veía que estaban en juego la integridad y los principios de su marido. Peter la miró con tristeza cuando ella se sentó al otro lado de la mesa, tan fría y arreglada como siempre con su camisón de color rosa.

—Lo hago por otros motivos, Kate. No porque esté bien ni porque estemos ya listos, sino por ti y por tu padre. Me siento como un matón de la mafia.

—Qué idea tan repugnante —comentó Katie, mirándole con enojo—. ¿Cómo puedes hacer esas comparaciones? Lo haces porque sabes que está bien y que se lo debes a mi padre.

Peter miró a su mujer dudando sobre el futuro que les aguardaba como matrimonio. No parecía demasiado prometedor, a juzgar por los últimos acontecimientos. Sabía ahora cuáles eran los sentimientos de Olivia al decir que se había vendido a Andy. En su caso no había sólo mentiras y disimulos, sino también chantaje.

—¿Por qué los dos estáis convencidos de que os debo algo? —preguntó—. Tu padre parece creer que se lo debo todo, pero por lo que he podido ver durante estos años, el intercambio ha sido totalmente justo. Yo trabajo duramente para la empresa y me pagan por ello. Y tú y yo éramos un auténtico matrimonio, o eso pensaba. Pero últimamente esa idea de «lo que os debo» parece que lo impregna todo. ¿Qué es exactamente lo que os hace pensar que os debo el comparecer en esa audiencia?

—Que la compañía se ha portado bien contigo durante veinte años —respondió ella, eligiendo sus palabras con cuidado, pues no ignoraba que pisaba terreno peligroso, potencialmente un campo de minas—, y ése es el modo que tienes de pagárselo, apoyando un producto con el que podemos ganar millones.

—¿A eso se reduce todo, al dinero? —Peter sintió asco de sí mismo al preguntarlo. ¿Por eso se había vendido, por millones? Al menos no era barato, pensó con ironía, haciendo una mueca de disgusto.

—En parte. No te hagas el inocente, Peter. Tú también participas de los beneficios. Ya sabes para qué trabajamos. Y has de pensar en tus hijos —agregó Kate con tono frío y calculador.

—Es extraño. Tenía la idea de que era por el bien de la humanidad, o al menos para salvar vidas. Creo que yo lo hacía por eso, y que por ese motivo he insistido tanto en el proyecto durante estos cuatro años, pero no estaba dispuesto a mentir por él, ni siquiera entonces. Menos lo estoy ahora, por dinero.

—¿Te vas a echar atrás? —preguntó Kate. Se hubiera presentado ella misma ante la FDA, de ser posible, pero no trabajaba en la empresa, y su padre estaba demasiado enfermo para ir, así que todo dependía de Peter—. ¿Sabes?, yo de ti me lo pensaría muy bien —le advirtió, poniéndose en pie—. Creo que sería justo decir que si nos haces ahora esa mala faena, tu brillante futuro en la Wilson-Donovan tendrá un rápido final.

—¿Y nuestro matrimonio?

—Eso está por ver —contestó ella—. Pero yo lo consideraría la peor de las traiciones.

Peter estaba convencido de que su mujer hablaba en serio, pero al mirarla se dio cuenta de que se sentía mejor. Kate era tan transparente como siempre había sido sin duda, sin que él lo llegara a percibir hasta entonces.

—Me alegro de saber cuál es tu postura, Kate —dijo Peter con calma. Antes de que ella pudiera contestarle, entró Patrick para desayunar.

—¿Qué hacéis levantados tan temprano? —preguntó con aire somnoliento.

—Tu madre y yo nos vamos a Washington esta mañana —contestó Peter.

—Oh, lo había olvidado. ¿También va el abuelo? —Patrick bostezó y se sirvió un vaso de leche.

—No, el médico ha dicho que no es aconsejable —explicó Peter.

Frank telefoneó minutos después. Quería hablar con Peter antes de que se marchara y recordarle lo que quería que dijera sobre los precios ante el Congreso. En realidad lo habían comentado ya una docena de veces en los últimos días, pero Frank quería asegurarse de que Peter seguiría la estrategia de la empresa.

—No pensamos regalar nada, y menos aún Vicotec cuando salga al mercado. No lo olvides —le advirtió.

—¿Todo va bien? —preguntó Kate cuando Peter volvió a la cocina, y sonrió al ver que su marido asentía.

Ambos fueron a vestirse y salieron de casa media hora más tarde.

Durante el trayecto hasta el aeropuerto Peter parecía extrañamente tranquilo y habló muy poco. Kate había tenido un pequeño susto creyendo que se echaría atrás, pero ahora estaba segura de que no lo haría. Peter siempre acababa lo que empezaba.

El vuelo desde La Guardia al aeropuerto de Washington fue corto, y Peter pasó la mayor parte del tiempo repasando sus papeles sobre el tema de los precios y los informes de las investigaciones sobre Vicotec. Se detuvo especialmente en las partes que Suchard le había subrayado de madrugada por teléfono.

Kate llamó a su padre desde el avión y le aseguró que todo marchaba según el plan previsto. En Washington les aguardaba una limusina que los llevó al edificio del Congreso. Peter se sentía más tranquilo. Sabía lo que pensaba decir más o menos y en realidad no le inquietaba demasiado.

En la sala de personal le aguardaban dos conserjes que le condujeron a una sala de conferencias y le ofrecieron una taza de café. Kate le acompañaba, pero poco después llegó un ujier para llevarla a un asiento de la galería, desde donde podría presenciar la comparecencia. Kate deseó suerte a su marido y le apretó la mano, pero no le dio un beso. Minutos después, Peter era introducido en la sala del Congreso y sufría un sobresalto. Por muy preparado que estuviera, seguía siendo una experiencia extraordinaria presentarse ante los hombres y mujeres que gobernaban el país. Era la segunda vez que visitaba la cámara, pero la primera vez iba acompañado de Frank y sólo él había hablado.

Condujeron a Peter hasta la mesa de los testigos y le hicieron jurar. Los miembros del subcomité se hallaban sentados delante, frente a unos micrófonos. Después de que Peter diera su nombre y el de la compañía a la que representaba, se iniciaron las preguntas y los congresistas escucharon las respuestas con interés.

Le preguntaron por medicamentos muy concretos y por su opinión sobre los elevados precios. Peter intentó exponer unos motivos fácilmente comprensibles para esa política de precios, pero incluso a él le pareció que sus explicaciones sonaban a hueco. Lo cierto era que las empresas farmacéuticas se hacían ricas gracias a esos precios injustos y que los miembros del Congreso lo sabían. Wilson-Donovan era también culpable, aunque sus prácticas y sus beneficios no fueran tan descarados como en otros casos.

Tras esto, sacaron a relucir ciertos temas sobre

seguros y, luego, al final, una congresista de Idaho comentó que, según tenía entendido, Peter iba a presentarse ante la FDA ese mismo día para pedir una licencia anticipada para un nuevo producto. La congresista quería que Peter les hablara de esa novedad.

Peter lo explicó con toda la sencillez de que fue capaz sin entrar en tecnicismos, ni traicionar ningún secreto. Dijo que cambiaría la naturaleza de la quimioterapia y la haría accesible al público en general sin necesidad de asistencia médica. Las madres podrían dárselo a sus hijos, los maridos a las esposas o, con especial cuidado, los pacientes a sí mismos. El producto iba a revolucionar el tratamiento del cáncer y a conseguir que el hombre corriente pudiera tratar por sí solo a su familia allá donde hiciera falta.

—¿Y podrá el «hombre corriente», como dice usted, permitírselo? Creo que ésta es la pregunta clave —dijo otro congresista.

—Ciertamente, eso esperamos —contestó Peter—. Uno de nuestros objetivos es mantener el precio de Vicotec lo más reducido posible y hacerlo asequible para cuantos lo necesiten. —Pronunció estas palabras con firmeza y serenidad.

Varias cabezas asintieron. A los congresistas les había parecido un testimonio fiable, documentado y claro. Poco después le dieron las gracias y le dijeron que podía marcharse. Todos los miembros del subcomité le estrecharon la mano y le desearon suerte en la FDA con aquel nuevo medicamento. Peter se sentía complacido al abandonar la cámara, siguiendo a un conserje. Instantes después Katie se reunía con él en la sala de conferencias.

—¿Por qué has dicho eso? —le preguntó en un susurro con tono disgustado mientras Peter guardaba sus papeles. Personas extrañas acababan de felicitarle y de darle las gracias, pero de Kate sólo podía esperar reproches, como si se enfrentara con su padre—. Has dado la impresión de que pensamos regalar el producto, y tú sabes que no era eso lo que papá quería. Va a ser un medicamento caro. Tiene que ser así para que podamos recuperar el dinero invertido y obtener los beneficios que merecemos.

—No hablemos de eso —dijo Peter, cogiendo su maletín.

Dio las gracias a los conserjes y salió del edificio seguido por Katie. No tenía nada más que decirle a su mujer. Kate no comprendía nada. Sabía de los beneficios que producían los medicamentos que vendían, pero no del objetivo con que se fabricaban. Entendía las palabras, pero no el significado. Sin embargo, Kate no se atrevió a hostigarlo más justo antes de la audiencia de la FDA, para la que apenas quedaba una hora.

Una vez en la limusina Kate sugirió que fueran a comer algo, pero Peter rehusó. Pensaba en lo que Kate acababa de decirle en el Congreso. Sabía que a los ojos de Kate les había fallado, pero se alegraba de lo que había dicho y tenía la intención de luchar con uñas y dientes para que el precio de Vicotec fuera razonable. Frank no tenía ni idea de lo implacable que pensaba ser su yerno.

Al final comieron unos emparedados en la limusina y bebieron café en vasos de plástico. Cuando el coche se detuvo media hora después ante el edificio de la FDA en el 5.600 de Fischers Lane, en Rockville, Maryland, a Kate le pareció que su marido estaba muy nervioso. El edificio no era bonito, pero en su interior ocurrían cosas muy importantes y eso era lo que preocupaba a Peter. Las promesas que su mujer y su suegro le habían arrancado seguían doliéndole como afrentas, pero ahora que estaba a punto de hablar ante la FDA para ocultarles un defecto peligroso, para mentir, le parecía mucho peor aún. Sólo le cabía rezar para que Frank cumpliera con su parte del pacto hasta el final y retirara el producto si era necesario.

Peter tenía húmedas las palmas de las manos cuando entró en la sala de audiencias y estaba tan nervioso que no veía al resto de asistentes. No dijo nada a Kate cuando ella fue a tomar asiento, ni siquiera recordaba que existía. Peter seguía sumido en un grave dilema y no podía pensar en otra cosa.

No le hicieron jurar, pero la verdad allí era mucho más importante. Peter miró alrededor, sintiéndose levemente mareado. Esperaba que la traición que estaba a punto de cometer sólo le llevara unos minutos.

Las manos le temblaban mientras aguardaba a que la comisión consultiva empezara a interrogarle. Era la experiencia más aterradora de su vida, ominosa si la comparaba con su comparecencia ante el Congreso. En su fuero interno no paraba de repetir que sólo tenía que hablar de Vicotec y acabar con aquello cuanto antes.

De repente volvió a pensar en Katie y en todo

lo que había sacrificado por ella y por su padre. Estaba a punto de regalarles su integridad y su coraje.

Cuando el presidente de la comisión empezó a hablar, intentó apartar de su mente aquellos pensamientos, pero notó que la cabeza le daba vueltas cuando le formularon diversas preguntas muy concretas y técnicas. Peter explicó sucintamente, con voz clara y firme, que acudía para solicitar una licencia anticipada para un producto del que creía que iba a cambiar la vida de los afectados de cáncer. Se produjo cierta agitación entre los miembros de la comisión, un revuelo de papeles y una mirada de interés, mientras él proseguía describiendo Vicotec y cómo podría usarse. Básicamente contó lo mismo que había referido en el Congreso por la mañana. La diferencia estribaba en que los miembros de la comisión no iban a dejarse impresionar por las palabras y los supuestos efectos de su medicina. Querían, y comprendían, los más complejos detalles. Al alzar la cabeza para mirar el reloj de la pared, Peter descubrió con sorpresa que llevaba hablando una hora. Fue entonces cuando le hicieron la última pregunta.

—¿Y cree usted verdaderamente, señor Haskell, que Vicotec está listo para ocupar su lugar en el mercado norteamericano, que han evaluado con certeza todas sus propiedades y cualquier riesgo que pudiera implicar? ¿Nos da usted su palabra, señor, de que cree sin ninguna duda que ese producto está listo para ser comercializado en este mismo momento?

Peter entendió la pregunta claramente, vio el

rostro del hombre que la hacía, y supo que debía contestar. Para eso había viajado hasta allí. Sólo debía pronunciar un monosílabo. Lo único que le pedían era que les jurara a ellos, como guardianes de la salud pública, que Vicotec no era nocivo para nadie. Peter miró en derredor y pensó en los presentes, en sus maridos y mujeres, madres e hijos, y en el increíble número de personas a las que podía llegar Vicotec. Comprendió entonces que no podría seguir adelante, ni por Frank ni por Kate ni por nadie. Ya no le importaba lo que le dijeran después los Donovan, él no podía mentir. Sabía perfectamente que todo lo que hasta ese momento poseía estaba en juego: trabajo, mujer e incluso hijos. Pero los chicos ya eran adultos y comprenderían lo que defendía su padre. Y si no podían aceptarlo, o comprender que valía la pena pagar el precio por seguir siendo íntegro, no había sabido educarlos.

—No, señor, no puedo —contestó al fin con firmeza—. Aún no puedo darle mi palabra. Espero poder hacerlo dentro de un tiempo. Creo que hemos desarrollado uno de los más extraordinarios productos farmacéuticos de la historia, que ayudará a enfermos de cáncer del mundo entero, pero no creo que esté completamente libre de riesgos todavía.

—Entonces no puede esperar que le concedamos una licencia anticipada, ¿no cree, señor Haskell? —inquirió el presidente de la comisión consultiva con aire perplejo, mientras el resto de miembros de la comisión se preguntaba con cierta irritación para qué les habían molestado. Al menos tuvieron que admirar su honradez, aunque ninguno de ellos sabía que se hubiera puesto en duda. Sólo un rostro en la sala estaba congestionado por la ira. Y aún habría otro más cuando Kate informara a su padre de que habían sido traicionados.

—¿Desea usted pedir una nueva fecha para presentarse ante esta comisión, señor Haskell? Sería mejor que no perdiéramos más tiempo hasta entonces. —Peter había sido el primero de la tarde, pero tenían toda una lista de comparecientes.

—Desearía pedir una nueva fecha, señor. Creo que seis meses sería una aproximación realista.

—Gracias por venir. —Y, sin más, le despidieron y todo concluyó.

Peter salió de la sala con las piernas temblorosas, pero iba con la espalda erguida y la cabeza alta, sintiéndose íntegro una vez más. Sólo le quedaba una cosa por hacer. Vio a Kate esperándole a lo lejos y se dirigió hacia ella. No creía que le perdonara. Al acercarse vio que su mujer tenía lágrimas en los ojos, aunque no podía decir si eran de rabia o de frustración, quizá de ambas cosas, pero él no pensaba consolarla.

—Lo siento, Kate. No era lo que había planeado. No había comprendido cómo me sentiría cuando estuviera delante de ellos y tuviera que mentir. Era un grupo que impresionaba. No he podido hacerlo.

—Nunca te lo he pedido —mintió Kate—. Sólo quería que no traicionaras a mi padre. —Miró a su marido con tristeza. Todo había terminado entre ellos. Peter no estaba dispuesto a renunciar a nada por ella nunca más, y mucho menos a sus principios—. ¿Te das cuenta de lo que acabas de hacer?

—preguntó implacablemente, dispuesta a defender a su padre.

—Me lo imagino. —En realidad Peter comprendía que deseaba la libertad con que le amenazaba su mujer.

—Eres un hombre honrado —dijo Kate, pero en sus labios sonó más bien como una acusación—, pero no demasiado inteligente.

Peter asintió. Su mujer dio media vuelta y se alejó sin volver la vista atrás. Su matrimonio había muerto hacía mucho tiempo, aunque ninguno de los dos lo supiera. Quizá Kate siempre había estado casada con su padre.

Peter tenía muchas cosas en que pensar cuando salió del edificio de la FDA. Kate acababa de marcharse en la limusina, dejándole en Maryland, pero le daba igual. Se sentía como si pudiera volar. Aún no acababa de creerse que hubiera sido capaz de rebelarse, y no sentía ninguna pena por su mujer. Había llegado a Washington como presidente de una compañía internacional, y ahora tenía las manos vacías, se había quedado sin empleo y estaba solo. Únicamente le quedaba su integridad y la conciencia tranquila.

Mientras permanecía de pie, sonriendo para sí y mirando el cielo, oyó una voz a su espalda. Era familiar, pero extraña al mismo tiempo, de otra época y otro lugar. Peter se volvió con una mirada de asombro y descubrió a Olivia frente a él.

—¿Qué estás haciendo aquí? —preguntó, perplejo—. Pensaba que estabas en Francia, escribiendo...

Olivia le sonreía levemente. Vestía suéter y

pantalones negros y llevaba una chaqueta roja colgada del hombro. Tenía un aire muy francés, que inmediatamente recordó a Peter la noche en la place Vendôme y todo lo ocurrido durante sus cinco días en París. Olivia estaba aún más bella que entonces.

—Me ha gustado mucho lo que he visto ahí dentro —contestó Olivia, ampliando su sonrisa.

Era evidente que se sentía orgullosa de él. Se había enterado de la audiencia por el *Herald Tribune* en Europa y había querido asistir para apoyarle, aunque fuera desde la sombra. Sabía lo mucho que Vicotec significaba para Peter y que debía estar con él. Conocía el día y la hora gracias a su hermano, quien también le había hablado de las comparecencias del Congreso, durante las cuales Olivia había permanecido sentada en silencio junto a Edwin. Y aunque a éste le intrigaba el súbito interés de su hermana por la industria farmacéutica, no le había preguntado nada. Olivia agradecía ahora haber seguido sus instintos.

—Eres más valiente de lo que pensaba —dijo Olivia.

Peter la atrajo lentamente hacia sí, preguntándose cómo había podido sobrevivir los tres meses y medio anteriores sin ella.

—No; tú sí eres valiente —replicó en voz baja con una mirada llena de admiración, porque Olivia había sido capaz de dejarlo todo. De repente se dio cuenta de que eso mismo acababa de hacer él. Ambos eran libres. Les había costado un alto precio, pero valía la pena—. ¿Qué vas a hacer esta tarde? —preguntó con una sonrisa. A él se le ocurrían miles de cosas: visitar el monumento a Washington, o el Lincoln Memorial, pasear por el Potomac, buscar una habitación en algún hotel, o quedarse allí para siempre, mirándola, o coger un avión y volver a París.

—No tengo nada que hacer —contestó ella—. He venido para verte a ti. —En realidad no esperaba poder hablar con él, sólo verlo desde lejos—. Vuelvo a Europa mañana por la mañana. —Ni siquiera sus padres sabían que estaba allí, y su hermano había prometido no decírselo. Todo lo que quería era ver a Peter unos instantes, aunque él nunca se enterara.

—¿Puedo invitarte a una taza de café? —preguntó Peter, y ambos sonrieron al recordar la place de la Concorde y aquella primera noche en Montmartre.

Peter la cogió de la mano y juntos emprendieron el camino hacia la libertad.